PRISM

MEMOIRES OF GE
MINISTE

PIETER BAS

Oud-minister van Onderwijs, Kunsten en Wetenschappen
Oud-lid van de Tweede Kamer der Staten-Generaal
Oud-Burgemeester van Gouda
Oud-Wethouder van Dordrecht
Voorm. voorzitter van de Vereniging tot veredeling van Volksvermaken
Bestrijding van drankmisbruik
Bevordering van Vreemdelingenverkeer
en andere genootschappen

*

Commandeur in de Orde van den Nederlandsen Leeuw
Houder der Siamese Ere-pantalon
en het Legioen d'Honneur d'Afrique
Officier in het Zweedse Victoria-Kruis
Raadsheer in de Orde der Millioen Olifanten en het Witte Zonne-scherm van het Koninkrijk Eli-Prabang
Begiftigd met het Gouden Zwaard van het Hertogdom Kent
enz. enz.

MEMOIRES

of gedenkschriften van
Minister

PIETER BAS

bijeengezameld en geordend
door

GODFRIED BOMANS

UITGEVERIJ HET SPECTRUM
UTRECHT ANTWERPEN

TWAALFDE DRUK

ILLUSTRATIES VAN HARRY PRENEN

VOORWOORD BIJ DE VIJFDE DRUK

Het verschijnen van „Pieter Bas” in de z.g. Prismareeks, vijftien jaren na het uitkomen der eerste druk, noopt tot een ogenblik bezinning. Heeft de uitgever ermee willen zeggen, dat Bas’ geschriften even kleurrijk zijn als de straling van het zonnelicht? Mogelijk. Doch laten wij bedenken, dat het prisma de kleuren breekt, terwijl in deze gedenkschriften de gestalte van Bas in ongebroken kracht te voorschijn treedt. Juist in een tijd als de onze, waar de edele staatsmanskunst dreigt te verzanden in boterprijzen en ijdel Benelux-gesnap, voorzien Bas’ memoires in een dringende behoefte. De opgroeiende jeugd kan eruit leren hoe men lid kan zijn van de Tweede Kamer en zelfs deel uitmaken van het Cabinet, en zich nochtans niet vervelen. Ik verheug mij over deze nieuwe uitgave en wuif haar met nauw bedwongen opwinding na.

Haarlem, 17 Augustus 1951

GODFRIED BOMANS

Zijne Excellentie Mr P. Bas, Minister van Onderwijs,
tijdens de begrotings-debatten, Mei 1917.
(Naar een portret uit de Dordtsche Bazuin)

BESCHEIDEN INLEIDING

VAN DEN VERZAMELAAR DEZER MEMOIRES OM DEN GEPASTEN TOORN DES LEZERS AF TE WENDEN EN ZIJNE WELWILLENDHEID IN TE ROEPEN

U allen, die dit boek in handen neemt, groet ik recht hartelijk.
Ik weet niet goed hoe te beginnen, maar ik *moet* iets zeggen, anders zult ge van dit boek niets begrijpen. Het is namelijk niet af. De meeste boeken die verschijnen, zijn af; ik geloof wel dat dit doorgaans het geval is. Onlangs las ik in de courant dat op een der Hawaiï-eilanden een boek was uitgegeven – door een zekeren N. Smith, indien ik mij wel herinner – en dat boek was ook niet af. Maar het werd ook niet verkocht, en dus telt dit geval niet mee, vind ik.
Neen, men kan van dit werk zeggen wat men wil, maar het is uniek. Het is werkelijk iets heel bijzonders. Want niet alleen is er geen einde, maar men kan ook met recht twijfelen aan een begin. Op welk punt immers vangen gewoonlijk de memoires van een staatsman aan? Wel, op het ogenblik dat hij schuchter begint staatsman te worden, laten wij zeggen op zijn vijf en twintigste jaar. En dit is nu juist het punt waar deze memoires ophouden. Natuurlijk, men kan toornig worden, dat weet ik heel goed. Maar is het niet aardig wanneer er af en toe eens een boek verschijnt, zonder begin, zonder einde, en zonder eigenlijk middenstuk? Want ook het middenstuk, moet ge weten, is aan twijfel onderhevig.
Maar neen, ik kan zo niet doorgaan; de argeloze koper van dit boek zal zich gelijk voelen aan dien

beklagenswaardigen man, die een stukje Gruyère kaas kocht in een winkel, doch met niets naar huis kwam, want hij had juist het gat getroffen. Het wordt tijd een paar dingen uit te leggen. De schrijver van deze memoires is Pieter Bas, de bekende Minister van Onderwijs gedurende de laatste oorlogsjaren. De ouderen onder U zullen zich zijn verschijning wel herinneren: mager, lang, het hoofd even terzijde gebogen, getooid met altijd dezelfde zwarte hoed met altijd hetzelfde veertje opzij. Het gezicht is wel het moeilijkst te beschrijven. Het is misschien beter het niet te doen, en het is bovendien niet nodig. Al lezend doemt als vanzelf het gelaat van den ouden, pratenden man voor U op. Ge kunt alleen zeggen dat dit gelaat de spiegel was ener buitengewone goedheid; niet de irriterende bonhommie van den tevreden burger en ook niet de bovennatuurlijke zachtheid van een heiligen-gezicht, maar die geheimzinnige goedheid die sommige oude mensen bezitten en die hen onaantastbaar maakt, onaantastbaar ook voor het leven. Ja, dat zijn wonderlijke wezens. Het leven is wreed, voor een ieder, doch *hen* schijnt het niet te deren. Zij lachen er zich niet over heen, zij duiken er ook niet in onder in doffe berusting, doch het schenkt hun die schone, diepe resignatie, waardoor zij boven de dingen schijnen geheven.
Het was, of hij temidden van zijn kinderlijke beweringen het uitzicht behield op een land, waarvan hij nooit sprak, en waarvan hij wellicht ook nooit had kunnen spreken, omdat hij zich van het bestaan daarvan niet geheel bewust was.
Inmiddels, zijne memoires zijn te onvolledig om die zijde van zijn wezen te gissen. De korte tijd die mij restte om zijne papieren te ordenen veroorloofde mij slechts een deel van zijn jeugd te reconstrueren. Grote stukken vond ik nog aangaande zijn burgemeester-

schap van Gouda, zijn gelukkig huwelijk, zijn vaderschap over negen kinderen, zijn optreden in de Tweede Kamer der Staten Generaal (waaromtrent vele anecdoten in omloop zijn), zijn werkzaamheden te Genève, en enkele politieke reizen in het buitenland. Maar dit alles droeg te zeer den stempel van zijn onverwachten dood, dan dat ik het mocht publiceren.
Wat ik uit den chaos, die zijn bureau na opening vertoonde, heb gered, zijn enkele fragmenten uit zijn jeugdherinneringen. Niet vele nochtans, en zij wekken meer verwachtingen op dan dat zij ze bevredigen. Er zullen zelfs lezers zijn die zich geërgerd afvragen: wat is het doel van dit alles? Wat heb ik aan memoires die ophouden op het punt waar andere gewoonlijk beginnen? Wat zijn de lessen die ik uit zulk een boek kan trekken? Neen, lessen zijn er niet. Er is in dit leven, voorzover het *hier* opgetekend staat, weinig stichtelijks. Zijne Excellentie was zelfs, om een losbandige term te gebruiken, een meisjesgek. Tot zijn drie en twintigste jaar, toen hij zijn grote Liefde ontmoette, viel Zijne Excellentie van den enen droom in den anderen. Men heeft uitgerekend dat hij in die periode ruim driehonderd gedichten en balladen heeft vervaardigd. Eén, dat bij toeval niet vernietigd werd, vond ik op een middag tussen het Wetboek van Koophandel:

Ach!
Ik zag
twee geliefden staan!
Zij kusten malkander
de eene den ander
zoo recht uit het harte
zoo recht op den mond
dat 't klonk in het rond!

of het volgende, dat ik vond in den rugkant van Tichelaars „Geschiedenis van het Romeinsche Strafproces”, en getiteld is: „Loflied op de Leidsche Maagden”; tot welker publicatie ik slechts aarzelend mag overgaan:

LOFLIED OP DE LEIDSCHE MAAGDEN

Wie zou niet 't hart benij je
dat in liefde mag gedij je?
in minneleed en lij je
voor éénen kus moet strij je?
en na dit kort verblij je
in tranen heen wil glij je?
ach, 't zijn de schoonste tij je
zich in een meiske te vermei je!
En toch, hoe ver men ook wil rij je
één mag ik 't liefste lij je...
't Is alles eender zei je?
Ha, de maagdekens van Lei je
doen zelfs de hardste kei je
in tranen weg gelei je.
Met zùlk een meisje bij je
is het wèl zoet te vrij je...

Ik weet wel dat het lezen van dit vers mij het schaamrood naar de wangen joeg; dat ik dikwerf ontmoedigd dacht: moet nu juist dit betreurenswaardig deel van zijn leven in het licht gegeven worden, terwijl zijne latere gedenkschriften juist de dragers zijn ener bezonkener levensbeschouwing, de getuigen zelfs ener wijsgerige ziel?
Maar neen. De jeugdherinneringen mogen den ernstigen lezer onbevredigd laten, toch zal hij een glimlach niet kunnen weerhouden bij deze argeloze taal;

hij moge wellicht het hoofd schudden over zoveel simpelheid, toch blijft er een lichte geur over den gansen dag hangen, een intieme blijdschap, het verheugend besef dat het leven toch zó zwaar niet is.
Het leven scheen inderdaad niet moeilijk voor Pieter Bas. Ik heb hier dikwijls over nagedacht. Want wie zijn memoires leest, moet erkennen dat hij de dingen zeer scherp en fijn voelde. En vooral de uitgever, die den moed heeft de wildernis van zijn bureau verder te doorzoeken, zal ervaren dat ook hij geslagen is, zoals ieder van ons zal geslagen worden. Maar hij geleek wel wat op enen elastieken bal, die wel deuken krijgt, maar toch rond blijft. Somtijds evenwel vond ik van deze smart een licht spoor, zoals het enigszins bittere vers, dat ik ontdekte op den rugkant van het Burgerlijk Wetboek:

Meisjes? dat is niets voor mij.
Als zij lief doen, moet ik lachen,
Als ik lief doe, lachen zij –

een van de weinige trieste uitingen van Zijne Excellentie, waarschijnlijk geschreven onder den invloed ener ongelukkige liefde. Want hij was altijd ongelukkig in zijne liefdes. Zij begonnen gelijk vuurpijlen – en zij eindigden ook zo. Het was onder de studenten van toen bekend, dat wanneer Pieter Bas in de verte een aardig meisje ontwaarde, hij van dat ogenblik af niets anders meer zag, noch ook over iets anders meer denken kon.
Gewoonlijk begaf hij zich tastend naar huis en schreef alle laden van zijn bureau tot de rand vol met openlijke verklaringen en duistere balladen, zonder het ooit te wagen haar met een dezer kunstwerken in kennis te stellen. Na deze arbeid begon hij om haar huis te

zwerven, sombere blikken naar de ramen werpend; ofwel, hij ging op een brug staan en keek naar het donkere water (zonder ooit den sprong te wagen, gelijk dit boek getuigt). Soms hoorde men hem op zijn kamer een droevig lied zingen, Duits of Engels, naargelang dit hem in het hoofd kwam; Hollands heeft men nooit vernomen. En al deze arbeid (waarmede hij gemakkelijk alle meisjes van Leiden had kunnen veroveren) was verspild en verloren, omdat degene voor wie dit alles bestemd was, in volkomen onwetendheid daaromtrent verkeerde. Want Pieter Bas was in den grond een verschrikkelijk verlegen jongen en hij is dat altijd gebleven. Dat is ook de reden (naar men algemeen vermoedt) waarom hij altijd met zijn memoires in zijn maag zat. „Wat moet ik er toch mee doen?" was een van zijn beminnelijke vragen. En wanneer ik dan (met grote beslistheid) antwoordde dat het hoog tijd werd eens orde in dien puinhoop van papieren te brengen, en dat het boek daarna onmiddellijk moest uitgegeven worden, bleef hij mij verschrikt aankijken en antwoordde niets. Maar toch had mijn beslistheid een kleine uitwerking. Hij antwoordde een der uitgevers (dengene wiens naam op de kaft van dit boek staat) de memoires te zullen uitgeven, op voorwaarde dat hij vooruit betaald werd (ongelukkige gedachte!). Hiermede had hij blijkbaar twee bedoelingen: een pressie op zijn doorzettingsvermogen en een verlichting zijner geldelijke bekommernissen. Zijn onverwachte dood echter bracht de erfgenamen in grote moeilijkheden. Het geld was gegeven, maar de memoires niet. Was het wonder dat zij mij, die de gedenkschriften kende – voorzover iemand er wijs uit kan worden – vroegen het tot een volledig boek te rangschikken? Ik had slechts enkele weken tijds, waarin ik die fragmenten, die althans een afgerond geheel vormden, bij elkander voegde. Later beperkte ik mij opnieuw, en ging niet verder dan zijn studententijd. Het moge echter ieder duidelijk zijn, dat minister Pieter Bas meer heeft nagelaten dan alleen zijn jeugdherinneringen, gelijk een man van zes en tachtig jaar meer is geweest dan alleen een jongeman. Doch al doortastend in de berg vergeelde papieren, teneinde de volledige memoires samen te stellen, ontzonk mij de moed. Slechts hij, die een blik heeft mogen werpen in de werkkamer des ministers, zoals zij zich vlak na diens dood voor het oog ontrolde, is tot vergeving in staat. Wellicht zal ik later de gelegenheid krijgen het ontbrekende aan te vullen.

De oude man sprak mij dikwijls over zijne memoires. Hoe hij er toe kwam zo gemeenzaam te zijn met een student die ternauwernood het vierde van zijn jaren telde, is mij altijd een raadsel gebleven, en een bewijs te meer van zijn eenvoud en bescheidenheid. Maar een feit is, dat hij het aardig vond als ik kwam, en wij dan samen de gedenkschriften van dat oneindig lange en bonte leven doorlazen. Wij hebben die avonden hartelijk gelachen. Want de oude Bas beschikte tot in hogen ouderdom over een soort humor, die moeilijk te definiëren is. Hij bezag de gewoonste dingen vanuit een standpunt dat geheel onverwacht en nieuw was; niet wijl hij beslist origineel wilde zijn, maar omdat hij de dingen niet anders dan zó kon zien. Hij was zich van zijn originaliteit ook niet geheel bewust, en was er verbaasd over wanneer de mensen om een van zijn tafelredevoeringen zo'n plezier hadden. „Wat is er toch," placht hij dikwijls te zeggen, verstoord naar de lachers ziende, „is dat zo gek? is het soms niet zo?" Ja, het was zo, doch de waarheid en de dwaasheid gaan zo dikwijls samen.

De memoires ontstonden 's avonds, onder een bureaulamp, terwijl de schrijver met zijn oude ogen vlak boven het papier hing. En op een van die avonden is hij gestorven, rechtop gezeten in zijn leuningstoel en zijn ogen naar buiten ziende, door het raam. Het was op een herfstavond, den vijftienden November. Wij weten niet of hij pijn gehad heeft, of hij iets heeft willen zeggen. Wij wisten alleen dat hij er niet meer was, en dat was ruimschoots genoeg. Anna, zijn goede huishoudster (op wie hij een tijdje verliefd geweest is), liet mij roepen en samen staarden wij naar zijn gezicht. Als gewoonlijk steunde hij met de kin op den koperen knop van zijn wandelstok en keek uit het raam de straat op. Maar wat ons elkaar de hand deed grijpen, was de uitdrukking van zijn gelaat. Er lag een diepe blijdschap op, alsof hij in die laatste, bliksemende seconde iets overheerlijks gezien had. En opeens kreeg ik een groot medelijden met hem. Wat was hij eenzaam geweest de laatste jaren! Hoe dikwijls zeide hij mij niet met een droevig glimlachje: „Ja Bo, het valt niet mee met je ene been in het graf en in het andere de jicht." Had hij jicht? Zeker, de laatste jaren, vooral in de herfst. Dan liep hij met een pijnlijk gezicht in zijn tuintje rond, en dan zorgde ik altijd een of ander achterkleinkind bij de hand te hebben om hem af te leiden. Want, op zijn achterkleinkinderen was hij dol. „Hoe heet je?" vroeg hij op zijn hurken. „Annetje Bas." Dan stond hij met een zalige glimlach op en keek mij aan. „Een Bas," zei hij dan, met een ernstig knikje, „een echte!"

Heb ik wel goed gedaan dit alles te zeggen? Heb ik eigenlijk wel goed gedaan met de memoires uit te geven? Misschien zullen zij den ouden Bas uitlachen, zij zullen hem een simpelen ouden gek noemen – neen, voorwaar, dat moogt ge niet doen! Al zijt ge misschien driemaal geleerder, bezadigder en verstandiger, af en toe moet het woord eens gelaten worden aan iemand die niet geleerd, niet bezadigd en ook eigenlijk niet helemaal verstandig was.

Ich bin immer so froh!
Weiter bin ich nichts.

(*Aus dem Briefwechsel eines völlig unbekannten Schwabischen Schriftstellers.*)

Mijn lieve lezers!

Tien jaren lang heb ik weerstand geboden aan de verzoeken mijner vrienden om mijne gedenkschriften uit te geven. Zij wezen mij erop hoe heilzaam de stem eens tachtigjarigen in deze haastige tijden kon werken. Zij gebruikten zelfs het beeld van olie op de kokende golven, al was dit wat laat op den avond. Het ware onverantwoordelijk, aldus hun gedachtengang, indien iemand die alle rangen in Nederland doorlopen heeft, die heeft kunnen schouwen in de onpeilbare diepten van het Burgerlijk Wetboek, evengoed als in de fijnzinnige Verhandelingen der Staten Generaal, indien zo iemand zijn bevindingen het vaderland zou onthouden.

Zij hebben gelijk. Ik mag niet langer zwijgen. Ziehier dan mijn boek, het eerste wat ik ooit geschreven heb. Het zal ook, naar ik uit het steeds ernstiger gezicht van mijn huisarts afleid, het laatste zijn. Mijn leven is voorbij. Het was een gelukkig leven. Ik zou anders dit boek niet geschreven hebben; want het heeft geen zin de bestaande treurige boeken met een te vermeerderen. Neen, mijn leven was zeer gelukkig. Alles, wat een Hollander zich wensen kan: vrijheid, ouderdom, geld, eer, roem, een lieve vrouw, veel kinderen, gezondheid, en een eigen tuintje met een schutting erom, dit alles is mij met milde hand gegeven. Ik heb wel dagen gekend dat ik er bang van werd en elk ogenblik een vis verwachtte met mijn ring erin. Maar zelfs de vis was uitstekend.

Nu is alles voorbij; allen die mij hebben liefgehad, zijn heengegaan; die mij gekend hebben in mijn glorietijd, zij zitten zwijgend in hun stoel bij het raam, doof, lam, of kinds. Maar zelfs in deze laatste dagen word ik met zegeningen overladen. Ik bezit een aardig huisje, met een hofje, juist groot genoeg om er trots op te zijn en juist klein genoeg om er geen zorgen over te hebben. De weinige vijanden die ik had, zijn deels gestorven, deels in een oudemannenhuis. Ik bezit 24 kleinkinderen en 36 achterkleinkinderen.

Het enige wolkje – het is haast het noemen niet waard – is mijn zwak geheugen. Telkens ontmoet ik kindertjes in mijn tuin met wie ik – men vergeve het een oud man – praatjes maak en die dan mijn achterkleinkinderen blijken te zijn. Doch dit is telkens een zo aangename verrassing, dat ik van een gebrek haast niet spreken kan. Het gaat overigens de laatste tijd al wat beter, ik ken hun 36 namen van buiten, ik heb hun 36 bolle gezichtjes tegen de salon-muur ingelijst en daar oefen ik mij dan 's avonds, met een potloodje. Ach, mijn lieve vrienden, het leven is zo schoon! Hebt elkander toch hartelijk lief!

EERSTE HOOFDSTUK

GEBOORTE EN EERSTE LEVENSJAREN

DIT heb ik voorzeker met vele grote mannen gemeen: dat ik in Dordrecht geboren ben. De inwoners – die ik vanaf deze plaats hartelijk groet – kunnen U het eenvoudige huis aanwijzen: op den hoek van de Jan de Witstraat en het Oude Muntplein. Zo van buiten gezien maakt het niet den indruk dat een minister daar geboren is; dit was althans *mijn* indruk toen ik het jaren later bezocht. Wanneer ge de moeite wilt nemen het Muntplein over te steken en U tegenover de slagerij van Bos op te stellen, krijgt ge een goeden kijk op het geheel. Het raam links, met de ijzeren spijltjes ervoor, is de kamer waar *ik* geboren ben. De gedenksteen erboven is natuurlijk later aangebracht. De twee ramen daarnaast werpen het licht in een vertrek dat wij gewoonlijk „het Kabinet" noemden, vanwege het kleine eikenhouten bureau waaraan mijn Vader te werken placht, wanneer zijn aanwezigheid niet op het stadhuis vereist werd. Hij vervulde daar de plaats van gemeentesecretaris, een woord dat wij moeilijk konden uitspreken. Zozeer waren wij destijds van zijn hoge positie en onmisbaarheid doordrongen, dat, toen hij een keer met verkoudheid in bed lag, wij verbaasd waren het verkeer op straat gewoon te zien doorgaan. Naast het Kabinet, dat is dus het laatste raam rechts, bevond zich mijn slaapkamertje, sindsdien geheel verbouwd en veranderd; doch, naar ik hoor, zijn er reeds stappen gedaan alles in den vorigen toestand te restaureren. De dag dat ik het eerste licht zag, was een zeer bewogene. Het ministerie Brouwer-Kortenhoef was juist den vorigen avond gevallen op een onderwijswet en 's ochtends om acht uur kwam de mare hiervan tegelijk met het bericht van mijn geboorte „het Kabinet" binnen, het eerste door de krant, het tweede door de baker.

Mijn Vader schijnt een ogenblik in beraad te hebben gestaan aan welke van de twee bronnen hij het eerste zijn nieuwsgierigheid zou bevredigen, doch tenslotte zegevierde de Vader in hem over den ambtenaar en kwam hij naar mijn toestand informeren.

„Het is een gezonde jongen," zeide hij, zich over het bed van zijn vrouw buigend en haar kussend, „het is een gezonde jongen en Kortenhoef is gewipt." Doch mijn Moeder keek hem stralend aan en noemde hem een malle.

Ik heb later meermalen de gelegenheid gehad op te merken hoe gering de belangstelling van vrouwen is in zaken van politieke strekking. Zelfs mijn eigen lieve Catharina kende het verschil niet tussen de Eerste en Tweede Kamer, en wanneer het gesprek dien kant opging werd zij onrustig en trachtte de aandacht te vestigen op de jampot of op andere voorwerpen welke in generlei verband stonden met het besprokene. Misschien is dit te verklaren uit een zekere vrees voor den ernst van het leven. In elk geval is het beter terug te keren tot den loop der gebeurtenissen, waarvan mijn geboorte het begin was.

Ik moet dien eersten dag geweldig geschreeuwd hebben; doch daar het juist de verjaardag van Koning Willem III was, stak hierin niets opvallends. Van dat eerste levensjaar kan ik mij, hetgeen te verontschuldigen is, niets herinneren. Het is het noodlot van memoires, dat zij haperen op de twee belangrijkste punten: het einde en het begin, den Dood en de Geboorte. Omtrent het eerste kan de schrijver niets mededelen zonder met

zich zelve in tegenspraak te geraken en omtrent het laatste is hij letterlijk genoodzaakt zich naar bakerpraatjes te richten. De bijzonderheden, die ik nochtans weet, zijn mij overgeleverd bij monde van Anna, een grote dikke vrouw, waarvan ik mij alleen haar twee blinkende zwarte ogen herinner. Ik moet dan een bijzonder groot hoofd gehad hebben, dat ik reeds toen gewoon was een weinig schuin te houden, een gewoonte, waarvan, zoals ge weet, door mijn politieke tegenstanders zulk een laaghartig gebruik is gemaakt.
Naar aanleiding hiervan schijnt mijn oom Jozef in scherts gezegd te hebben, dat er nog een minister uit mij zou groeien. Deze voorspelling kwam mij echter pas ter ore toen ik minister was, hetgeen de betrouwbaarheid aanzienlijk vermindert. Een neiging tot spelen schijn ik niet gehad te hebben; gewoonlijk lag ik stil op mijn rug naar boven te kijken „alsof ik over iets nadacht". Ik groeide snel op en reeds in mijn eerste jaar kon ik lopen. Ook mijn bevattingsvermogen was al vroeg rijp; zo zal ik wel de enige in Holland zijn die zich de begrafenis van burgemeester Sanders weet te herinneren. Hij stierf toen ik drie jaar was en ik kan mij den stoet nog zeer goed voorstellen. Zij trok langs ons huis dwars over het Muntplein; ik stond ademloos met mijn neus tegen het vensterglas, en was in het bijzonder verbaasd, dat er zoveel rijtuigen nodig waren om één doden man te vervoeren. Ik herinner mij ook de merkwaardige voorstelling, die ik mij hierover vormde, als zou in elk rijtuig een stukje van zijn lichaam gelegd zijn.

Soldaatje spelen was reeds vroeg mijn lust en mijn leven. Wij bezaten, ik weet het nog goed, zestig loden soldaatjes, waarvan er één geen hoofd had, zodat wij hem generaal maakten. De overigen stelden wij op in een indrukwekkende slagorde, waaraan wij minstens een uur besteedden, en dan – dan was het uit. Want het loden-soldaten-spel bezit deze eigenaardigheid dat het afgelopen is op het ogenblik, dat het eigenlijk beginnen moet. Als het excerceren, het opstellen en het paraderen voorbij is en het gevecht een aanvang behoort te nemen, is de aardigheid er af. Ik heb later opgemerkt dat dit ook bij andere soldaten het geval is. Des avonds zaten wij allen, Vader, Moeder, vier jongens en twee meisjes, onder het lamplicht bijeen aan een grote tafel. Als ik aan dien tijd terugdenk zie ik mij altijd op één bepaalde avond, die mij in het bijzonder goed in het geheugen is gebleven, toen de wind om het oude huis woei en Vader met halfluide stem een artikel uit De Dordtsche Bazuin voorlas, waarvan wij allen niets begrepen, doch dat ons een bijzonder gevoel van veiligheid en rust gaf. Later, als gevolmachtigde te Genève, heb ik dikwijls langs de vergadertafel gekeken en gewenst dat mijn Vader met De Dordtsche Bazuin daar zat, en mijn Moeder, mijn drie broers en mijn twee zusters; en soms – men vergeve het mij – heb ik gemeend dat het een weldaad voor de wereld zou geweest zijn.

TWEEDE HOOFDSTUK

VROEGSTE HERINNERINGEN

De eerste mannelijke wezens die ik op mijn levenspad ontmoette, waren mijn drie broeders, Vincent, Prick en Jozef. Zij sliepen gedrieën in één groot bed, en toen ik oud genoeg was, werd er een stukje aangebouwd en kwam ik erbij. Dit was een uitvinding van mijn Vader; hij vond het zo overzichtelijk.
Dit enorme bed was een bron van onenigheid. Want Vincent, die de oudste en sterkste was, placht zich een onrechtvaardig groot deel van de dekens toe te eigenen: hij stopte zich goed van alle kanten in en viel genoeglijk knorrend in slaap. Voor Prick, die vlak naast hem lag, was dit niet zo erg. Maar Jozef, en vooral ik, die aan den uitersten rand lag, moesten maar zien hoe we den nacht doorkwamen. Dit was reden voor een soort bondgenootschap tussen ons tweeën, die ons hele leven geduurd heeft; altijd is mijn broeder Jozef mij het meest na geweest. Niettemin bleven wij verre in de minderheid. Een vollen nacht, ik weet het nog goed, hebben wij samen schouder aan schouder om de dekens gevochten, doch telkenmale werd de aanval afgeslagen. Tenslotte besloten wij aan het voeteneind te gaan slapen, met de benen in hun richting. En zo is het jaren gebleven, tot grote tevredenheid van beide partijen. Zolang wij gezamenlijk sliepen, gingen wij gelijk naar bed. Ik geloof dat het acht uur was, maar ik weet het niet zeker. Voordat hiertoe echter werd overgegaan, had er een kleine ceremonie plaats. Anna, die „nog bij meneer zelf gediend had", stond er op dat wij alle vier op de po gingen. Want, zo meende zij, een Christen-

mens kon niet slapen, als niet alle „kwaje stoffen" d'r uit waren.
Derhalve werden er vier po's op een rijtje tegen den

muur geplaatst, de gebroeders Bas zetten zich erop, en keken elkander gespannen aan. Want het was zaak wie hem het eerste „eruit" had. Had iemand hem het eerste eruit, dan stapte hij zegevierend in het bed, en wachtte op den volgenden winnaar. En samen vuurden zij de twee achterblijvers aan om „zich niet te laten kennen"; en deze keken elkander met rode gezichtjes aan, vastbesloten zich tot het uiterste te geven. Die arme Jozef! Hij verloor altijd, en wanneer de een na den ander in het bed kroop, en hij eenzaam op den vloer zat te steunen, kreeg ik wel eens medelijden met hem. Dan richtte ik mij op, en riep:
„Hoever?"
„Bijna," klonk het dan ernstig terug.
Goede Jozef! Maar soms werd hij beloond.
„Kom 's allemaal kijken," riep hij dan opgewonden. En wij vlogen gedrieën het bed uit, want „die van Jozef waren niet mis". En wij bezagen het werk met de ogen van kenners, die weten wat de prijs is, en

zeiden dat het een „knaap" was, terwijl de gelukkige eigenaar met een dankbaar lachje de hulde in ontvangst nam.

Wanneer ik aan mijn jeugd terugdenk, zie ik altijd bepaalde plaatsen of bepaalde momenten voor mij. Zo zal het met ieder zijn. Een avond tussen Vader en Moeder op een bank aan de Merwede, herinner ik mij, terwijl de zon brandend achter de witte schepen onderging of bepaalde morgens – die zo wonderbaar kunnen zijn. Ik weet nog zo goed dien enen sprookjesachtigen morgen, dat ik vroeg uit bed was gekropen en in mijn nachthemdje ademloos op de vensterbank naar buiten keek, hoe de grijze nevels statig uit de Merwede omhoog rezen, en de blanke meeuwen daarboven geluidloos wiekten in de zuivere lucht, en hoe ik God hardop bad dat het toch alsjeblieft zo mocht blijven, altijd maar door zo rein, zo zuiver, zo stil. Maar, hoewel Hij misschien even geaarzeld heeft, heeft alles sindsdien zijn gewonen verloop gehad.
Het meest echter zie ik mij terug in de St. Andreaskerk onder de Hoogmis, tussen Jozef en Vincent. Het

koor zingt, de blauwe wierook vloeit langs de pilaren en ik krijg zo'n jeuk in mijn knieën. Ik wrijf zachtjes, maar het vreemde gevoel is nu in mijn nek. Ik buig mijn hoofd achterover, doch hoor terstond een woedend gefluister achter mij. Het is dokter Simons. Of misschien is het wel Stevens, die gespierde kruidenier tegenover de Linden. Ik word geheel roerloos bij de gedachte dat het Stevens kan zijn, en tracht nu doodstil rechtop te blijven en strak naar een pilaar te kijken. Het is een dikke. Boven helt hij enigszins over. Ja zeker, hij staat beslist schuin. Heeft dan niemand het in de gaten? Elk ogenblik kan de kerk instorten. Wat moet ik doen? Ik stoot Vincent aan.
„Hou je stil, ongeluk," zegt hij, over den rand van zijn kerkboek kijkend.
Goed, best. Ik heb het mijne gedaan. Laat nu de boel maar vallen. Niemand kan mij iets verwijten. Wat een slag zal het zijn. De eerste die er aan gaat is Wampier. Hij zit vlak onder den pilaar en weet van niets. Zie hem eens argeloos over zijn bril staren. Nu, er is aan hem niet veel verloren. Maar juffrouw Vriesland, die verzen schrijft, dat is erger. Zij heeft de ogen gesloten en er speelt een glimlach om haar mond. Het is een ondraaglijke gedachte dat het gedicht, waarover zij zonder twijfel denkt, voor altijd verloren is, bedolven onder het gips en de heiligenbeelden. Zie, er valt een rode gloed door het gebrandschilderde raam over haar gelaat. Wat is zij schoon! Hoe steekt zij af tussen de rest! Mevrouw Wilderbeek naast haar is een boerin, en notaris Durand aan den anderen kant schijnt een polderwerker. Ik zou haar zo graag een zoen geven en haar mijn vrouw noemen. Wat moet het heerlijk wezen voor den man die haar krijgt, om 's ochtends naar beneden te komen en dat onbeschrijfelijke wezen aan de ontbijttafel te vinden, helemaal voor hem alleen.

En haar dan een zoen te geven en te vragen: „Hebt u goed geslapen, juffrouw Vriesland?”
– Er wandelt een man door het middenpad. „Orde in Gods Huis” staat er op zijn buik geborduurd. Hij kijkt mij aan met een enkelen diepen blik die mij doet verstijven. Hij schijnt te zeggen: Ik doorzie U, Pieter Bas! Gij zijt met zondige gedachten vervuld in het huis des Heren. Gij zit te wiebelen, gij telt de franje

van het kussen, om van het andere maar niet te spreken, gij doet van alles behalve het gebed lezen dat uw Vader in uw kerkboek met èen potloodje heeft aangestreept. God straffe U, Pieter Bas! Zie om U heen, zie al die neergebogen gezichten en schaam U. – Ja, ik schaam mij. Ik zoek in mijn kerkboek de Morgenoefeningen voor Jongelieden van 7–10 jaar en doorloop met onverzettelijke wilskracht de Verzuchtingen bij het Opstaan, de Gebeden bij het Aankleden, en ben reeds bij de Aanroepingen onder het Wassen, als ik over dit laatste begin na te denken. Ik doe alle moeite om mijn gedachten een andere richting te geven, doch het beeld van de jongelieden van 7–10 jaar, staande aan de wastafel met de spons in de ene en het kerkboek in de andere hand, en zich beurtelings aan beide lavend, is te aantrekkelijk voor mijn verbeelding.

Dan is er een tijdje niets en val ik langzaam in een staat van verdoving, tot het plotseling schuifelen van voeten mij weer tot het leven roept. Ik schuifel mee door het middenpad naar den uitgang, met een hart vol wroeging. Doch het is te laat en ik moet mijn goede voornemens tot den volgenden Zondag bewaren.

DERDE HOOFDSTUK

HET HOK VAN WAMPIER

Op mijn zevende jaar oordeelden mijn ouders het raadzaam mij naar een school, „het hok van Wampier", te zenden, aldus genoemd naar den hoofdonderwijzer, den heer Wampier. Naar aanleiding van deze gebeurtenis kwam de heer Wampier ons persoonlijk opzoeken, een gebeurtenis die mij diep in het geheugen is gebleven. Wampier immers was, naar de getuigenis van mijn drie broers en Johanna, die allen op dezelfde school waren, de meest wreedaardige en onmenselijke tyran, die ooit uit Gods hand was voortgekomen. Hij scheen eens met één slag drie jongetjes uit de eerste klas te hebben doodgeslagen, hetgeen voorzeker – uit sportief oogpunt – een prestatie mag genoemd worden. En dat Jan Duifjeshuis het vorig jaar aan influenza gestorven was, daar geloofde niemand van de jongens bij Wampier aan. Christiaan van Noordt – een zeer geloofwaardige knaap – wist zelfs met zekerheid te vertellen dat Wampier – en niemand anders dan Wampier – hierin de hand moest hebben. Mijn broeder Vincent zeide mij dat hij „het feit op zich" niet zo erg vond, een mens in drift doet dingen waar hij later spijt van heeft, maar om met een bedroefd gezicht in de begrafenis vlak achter de kist te lopen, zie, dat was min.

Ik beefde over al mijn leden toen ik aan dezen woesteling werd voorgesteld, hoewel de eerste aanblik mij buitenmate opluchtte; zeker, hij was natuurlijk een harteloze wildeman, doch zoals hij, daar op de punt van zijn stoel gezeten, mij door zijn nikkelen brilletje toeknipte, scheen hij mij toch van alle wildemannen de meest zachtzinnige. Gelukkig lichtte Vincent mij later in dat dit alles slechts schijn was; eenmaal in zijn macht, zou deze man zich in zijn ware gedaante ontpoppen.

Wampier

Het hok van Wampier was een groot gebouw in de Veerstraat, geheel in roden steen opgetrokken, wat het iets bloeddorstigs gaf. Boven op den gevel stond een bronzen man met een vaantje in de hand, die IJzeren Hendrik genoemd werd. Wat de betekenis van IJzeren Hendrik en inzonderheid van het vaantje was, heb ik nooit geheel kunnen achterhalen. Er bestond een groot aantal verhalen daaromtrent, waaronder het opmerkelijkste wel was dat hij op den eersten dag van de Grote Vacantie met het vaantje placht te zwaaien en daarbij het linkerbeen vooruit plaatste. Hoe dikwijls hebben wij niet op het aangeduide uur aan den overkant van de straat gestaan om ons te verheugen over zijn meevoelend hart.
„Het is jammer," zeiden de grote jongens dan na een uur, „Hendrik doet 't dit jaar niet." En hoe heerlijk was het om er tenslotte „achter te komen", en de traditie tegenover de kleine jongens hoog te houden. Zo viel de school van Wampier in twee leeftijdsgroepen uiteen, zij die er wel aan geloofden en zij die er niet aan geloofden. „Hij gelooft nog aan Hein", was trouwens in Dordrecht de korte aanduiding van een stumperd, een onnozele.
Onderweg naar school moesten wij door de Antoniusstraat, waar constant omtrent dat uur een man uit het raam hing om ons met scheldwoorden te overladen. Deze vijandschap was al zeer oud; toen Vincent in de eerste klas zat en dus op z'n eentje door de Antoniusstraat moest, hing hij al uit datzelfde raam. Zij scheen voor te spruiten uit een fout in de gemeente-administratie, waardoor hij te hoog was aangeslagen voor de belasting en hij wreekte dit onrecht op de kinderen van den gemeente-secretaris, gewoonlijk in dezer voege: „Hà, daar komen ze weer an, die uitzuigertjes! Je ken 't an d'r smoeltjes zien, van wie z'n centen ze eten!

Schoften! Schoften! Wie z'n zweet eten jullie? hè wie z'n zweet? Mijn zweet! het zweet van Jansen, het zweet van Jansen!" en hij herhaalde dit smakelijk gerecht in de grootste opwinding tot wij den hoek om waren. Soms dreef hij zijn woede zo ver, dat hij ons een eindweegs achtervolgde, luide toespelingen makend op het zweet van Jansen en het laaghartig gebruik dat ervan gemaakt werd. Ik was altijd als de dood zo bang voor dien vreselijken Jansen en liep trillend van angst langs dat raam, dicht tegen mijn broers aan, die onverstoorbaar door praatten, alsof er niets gebeurde. Ik heb hen hierin altijd heimelijk bewonderd. Vooral Jozef was er altijd zeer kalm onder. „Het hoort er bij," zeide hij, „er is niets aan te doen."

Tradt ge de school van Wampier binnen, dan werd uw blik als het ware getrokken door een vreemde versiering boven aan de trap; het was een driehoek, met een oog erin.

„Wie is het,
die hart en nieren doorgrondt?"

aldus luidde het onderschrift.
Al word ik honderd jaar, ik zal dit oog niet vergeten. Het keek U aldoor strak aan, onverschillig waar ge U bevond. Stond men bij de trap, het oog zag U aan. Bevond men zich bij het wachtkamertje, het oog was op U gericht. Trachtet ge heimelijk in het rommelhok een potloodje weg te pakken, het oog was de onbeweeglijke getuige. Het scheen bij al uw bewegingen mee te draaien, nu eens dreigend, dan eens somber, de ene keer doordringend, een andere maal spottend; doch nooit was het oog vriendelijk, of zelfs maar onverschillig; het had altijd een uitdrukking, die U den pas deed versnellen om uit het gezicht te zijn.

Ik denk er nog met voldoening aan terug dat mijn eerste daad als Minister van Onderwijs was, een schrijven te richten tot de Lagere School van Dordrecht om het oog weg te nemen. Mijn eerste reis in die functie was naar Dordrecht om te zien of het oog *was* weggenomen.

Welke de verschrikkingen van die school ook zijn, geen jongen behoeft 's nachts meer wakker te schrikken omdat hij een oog meent te zien in den hoek van de kamer. De nieren der huidige leerlingen worden momenteel door niemand doorgrond; en wat hen ook tot vlijt en deugdzaamheid moge aansporen, een oog is het niet meer. Zie, dat is mij een grote voldoening.

Van de eerste vier klassen weet ik mij betrekkelijk weinig te herinneren. Als ik mijn ogen sluit zie ik de beukestammen van de Veerstraat door het raam heen en de keurige gordijntjes met verdwaalde wespen erin, waaruit ik opmaak dat ik in dien tijd erg veel naar buiten moet gekeken hebben. Juffrouw König staat mij het levendigst voor den geest; zij dronk – om een of andere duistere reden – om het uur een glas melk uit een brede fles en het was telkens een gebeurtenis. Elk fragment van deze handeling scheen ons even belangwekkend. Te zien hoe zij de fles uit de kast haalde, den dop eraf schroefde, de melk in den beker liet klokken – waarbij de luchtbel in de fles gestadig aangroeide – de wetenschap dat Wampier „er tegen was" waartoe er een jongen bij de deur geplaatst werd die af en toe „pss!" riep, waarop het bloed ons in de aderen stolde en juffrouw König over al haar leden bevend de fles ongemerkt in de kast trachtte te stoppen – hetgeen haar zelden lukte –, de schaarse momenten dat het haar inderdaad lukte en wij allen den heer Wampier aankeken alsof wij niet wisten dat die fles daar in de kast stond – wel, ik heb later van talrijke

bruggen de linten doorgeknipt doch ogenblikken van deze spanning nimmer hervonden.
Van juffrouw Bonemeyer herinner ik mij enkel haar lieve stem. Zij kende slechts één liedje „Jantje, waar gaat gij henen?" doch dat was ruim voldoende. Onder haar leiding hadden wij er een vol jaar werk aan; wij zongen het hoog; wij zongen het laag, wij zongen het tweestemmig en altijd bleef er nog wel iets aan te verbeteren. Bovendien was het een zeer uitgebreid lied, daar de vraag voortdurend herhaald werd zonder dat het antwoord kwam; in dezer voege:
Eerste koor: „*Jantje, waar gaat gij henen? Is het Parijs?*"
Tweede koor: „*Neen, niet derwaarts voert mijn reis!*"
Eerste koor: „*Jantje, waar gaat gij henen? Is het Milaan?*"
Tweede koor: „*Neen, niet derwaarts gaat mijn baan!*"
en zo maar door, tot wij alle steden van Europa hadden afgevraagd en met frissen moed aan een nieuw werelddeel begonnen. Wampier was zeer ingenomen met dit lied; het bevorderde tegelijkertijd den kunstzin en de geografische kennis, placht hij te zeggen, en op deze zienswijze is weinig aan te merken. Van juffrouw Eikman herinner ik mij enkel den naam en een vaag gevoel van vrees bij het uitspreken van dit woord.
Er waren ook twee mannen op de school van Wampier, doch wilde men op die geestelijke hoogte komen, dan moest men eerst langs de laatste juffrouw, juffrouw Vriesland van de vierde klas. Op mij persoonlijk heeft zij den meesten indruk gemaakt en ik heb zelfs een jaar rondgelopen met het onwrikbaar besluit haar te trouwen. Tenslotte besloot ik, na overleg met mijn broeder Jozef, met een verklaring te wachten tot mijn vooruitzichten wat solider waren.
Juffrouw Vriesland was een dichteres. Niet alleen dat

zij heur haar in twee wrongen tegen de oren droeg, maar zij had ook een dichtbundeltje uitgegeven, met wezenlijke drukletters erin en een leren kaftje met haar naam erop. Somtijds bezocht de engel der inspiratie haar tijdens haar ambtsbezigheden; dan schreef zij wat op een papiertje, staarde uit het raam en begon te wenen. Wij begonnen ook te wenen. „Kom," sprak zij dan na een wijle, „het is voorbij". En dan droogden we de tranen en het was voorbij.
Maar niet altijd vertoonde de inspiratie zich in dezen simpelen vorm. Het zien van een rozeknop was soms voldoende om van 9 tot 12 te zuchten en te schreien. „Wat doe ik hier nog!" riep zij dan, „ik kan het niet langer dragen!" Wampier schoof dan het raampje open en zeide: „Probeer het nog tot 12 uur uit te houden, juffrouw Vriesland."
Wampier begreep helemaal niets van juffrouw Vriesland. „Ik doe 't, zij kan 't ook," hoorde ik hem eens tegen meneer Pille zeggen, alsof er enige overeenkomst was tussen het hart van juffrouw Vriesland en zijn eigen lage ziel.

Hèt grote ogenblik voor elke Wampiriaan, waar hij vier jaar naar op en twee jaar op neer zag, was de overgang van de vierde naar de vijfde klas. Het was het sluitstuk van een kinderachtigen onbenulligen tijd waar men zich 's avonds in bed over schaamde, het was de aanvang van een forser, ruimer leven. Om in de vijfde en zesde klas te komen moest je vooreerst een trap op en in deze trap voelden wij allen een symbool: een jongen van boven sprak niet met een jongen van beneden. Mij persoonlijk is het eenmaal overkomen dat Edward Krolle me een knikker vroeg, op een tamelijk vriendelijken toon, alsof ik zijn gelijke was. Ik zal het nooit vergeten.

Behalve de trap waren er nog andere factoren. IJzeren Hendrik bijvoorbeeld: een jongen van boven „geloofde niet meer aan Hein". Doch de grootste afstand schiep zeker kapelaan Jacobs, die expres elke week over kwam om den roomsen jongens van boven Bijbelse Geschiedenis te geven.*) Meer regelmaat en orde dan in kapelaan Jacobs heb ik zelden meer verenigd gezien. Hij begon elke les met de diepzinnige opmerking: „Komaan, daar ben ik weer", keek even rond over zijn eierbrilletje teneinde zich van enige tegenspraak te vergewissen, en overhoorde de les te beginnen bij den jongen links vooraan en eindigend rechts achter, wat ons bij het huiswerk een buitengewone tijdsbesparing opleverde.
Kapelaan Jacobs bezat een warm hart, doch daar hij alle mogelijke moeite deed om dit te verbergen ontdekten we dit eerst toen hij dood was (gelijk het meestal gaat). Hij stierf op een buitengewoon onordelijke wijze, door uit het raam van zijn pastorie te vallen; dit is in mijn Wampier-jaren mijn grootste verdriet geweest. Het was de eerste doode dien ik ooit zag en zeker een der indrukwekkendste. Hij lag in het middenpad van de Antoniuskerk tussen twee waskaarsen, het gelaat omhoog en de ogen gesloten, een beeld van zo intense rust en verhevenheid dat wij nauwelijks durfden ademhalen. Toch waren wij geen van allen bevreesd, want hij was inderdaad, zoals de koster zeide, „echt Jacobs"; men had zijn eierbrilletje afgedaan, doch overigens kon hij elk ogenblik de ogen opslaan en zeggen: „Komaan, daar ben ik weer." Maar kapelaan

*) Hier is wellicht enige toelichting vereist. De Vader van Zijne Exc. was lid van de Waalse Gemeente van dominé Perk, en zelfs enige jaren Voorganger. Doch diens vrouw, Emilia Schaerbeke, ging in het derde jaar van haar huwelijk tot het Katholicisme over.

Jacobs was wel wijzer. Hij klapwiekte door Gods wijden hemel en dacht er niet meer aan terug te keren. Ik heb sindsdien in mijn Wampier-jaren dikwijls over den hemel nagedacht, niet met verlangen, zoals nu, doch uit pure nieuwsgierigheid; en tenslotte geraakte ik tot een vage verwarde voorstelling met welker beschrijving ik U eerder zou ontstemmen dan stichten. Doch dit is geen reden U de zienswijze te onthouden van mijn broeder Prick, die een klas hoger zat. Hij werd later journalist, doch zijn fantasie was reeds toen buitengewoon levendig. Ik heb wel eens gevreesd dat zijn haren zo mal rechtop stonden uit verbazing om wat er onder hen gebeurde. De hemel, zo zeide mijn broeder Prick, was niet anders dan een grote zaal met een blauw plafond. Engelen zweefden af en aan met een bijzonder soort sprits waar Prick toen erg van hield; er waren trouwens een boel leuke dingen, maar het aardigste vond Prick om al de heiligen aan het werk te zien en te bemerken dat zij er juist zo uitzagen als de plaatjes in zijn kerkboek: de H. Caecilia speelde opgeruimd op haar orgel, de H. Jozef timmerde, en St. Joris vocht met zijn draak, achter een kleine omrastering. Soms deden allen een spelletje, juist die waar Prick een grote bekwaamheid in had bereikt. Onze Lieve Heer zat glimlachend toe te zien achter een soort bureau en rookte dure sigaren met geel-witte bandjes. En een van de heerlijkste dingen was om tussen de wolken naar de jongens op aarde te kijken en te zien hoe zij aan hun sommen werkten van twee wandelaars A en B, die elkaar op het punt P tegen moesten komen, terwijl Prick op een gouden bankje toekeek en sprits nuttigde. Ja, dat was wel het heerlijkste.
Als ik mijn broeder zo hoorde vertellen over de schone gedachten die hij van den hemel had, was ik beschaamd over de mijne. Voor mij had de hemel niets aantrek-

kelijks. Mijn Moeder had mij verteld dat het geluk aldaar bestond in de eeuwige aanschouwing Gods; ik begreep niet wat hier nu aan was. Het zou natuurlijk het eerste uur wel spannend zijn, maar dan zouden wij allen gaan draaien op onze bankjes en verlangen te knikkeren. Doch een Engel zou ons in den rug porren en fluisteren: „Kijk vóór je, snotaap.” Mijn Moeder zeide daarentegen dat God zó mooi was dat wij in het geheel niet naar knikkeren zouden verlangen. Wij zouden ademloos toezien, de hele eeuwigheid door. En

omdat mijn Moeder het zeide, geloofden wij het. Maar begrijpen deden wij het niet.
Nu weet ik dat niemand het ooit zal begrijpen. Het is zoals met sommige heel mooie dingen op aarde: je moet het gezien hebben.
Het overheersend gevoel als ik aan mijn Wampierjaren terugdenk, is dat van strijdlust. De school van Wampier was in voortdurende oorlog met de school van Feith, welker leerlingen „Kakkerlakken" genoemd werden. Niemand wist hoe deze oorlog ontstaan was en waarom zij voortduurde; en dit had zij met alle oorlogen gemeen. Doch waarin zij zich onderscheidde was de ridderlijkheid waarmede zij gevoerd werd. Kwam een groepje Wampieren een alleenlopenden Kakkerlak tegen, dan gebeurde der niets. En op zijn beurt kon een Wampier recht door de Kakkerlakken lopen zonder dat hem een haar gekrenkt werd.
Gewoonlijk waren de Kakkerlakken sterker, en dit overwicht was hoofdzakelijk toe te schrijven aan de gigantische afmetingen van hun aanvoerder, Rooie Jan genaamd (hij placht een rood petje op het hoofd te dragen). Deze knaap kon niet alleen tussen duim en wijsvinger een cent ombuigen, maar hij tilde ook met een hand drie Wampieren van den grond en wierp ze als vuile was over straat. Wel hadden wij hem deze bezigheden nooit zien verrichten, doch om een of andere reden stonden deze zaken vast. Ik trilde al op mijn benen, als ik in de verte zijn rood hoofd ontwaarde.
Ach, hoe gaarne zou ik mijn zeven ridder-orden, mijn Siamese Ere-Pantalon, en al wat er nog verder boven in de kast hangt, prijsgeven om nog éénmaal onder onzen beminden leider Piet Zeeland tegen de Kakkerlakken op te trekken! Hij had niet de gestalte van Rooie Jan, het is waar, doch welk een excellente geest!

Hoe stond hij voor ons met schitterende ogen, ons wijzend op onze plichten! „Van geen Wampier", was een van zijn geliefde uitroepen, „kent men den rug!", een zinsnede uit Da Costa's „Batavieren", naar ik later ontdekte. Wij begrepen geen van allen de juiste betekenis van deze aanvuring. Piet Zeeland zelve ook niet, doch dit was geen beletsel om in geestdrift te geraken. Ons vertrouwen in Piet Zeeland was onbegrensd; indien hij zulks verlangd had, waren wij allen gaarne in de Merwede gesprongen.
Vooral zijn tactische wijze van opstelling dwong onze bewondering af: tijdens het gevecht was hij in de achterhoede, „om een oogje in het zeil te houden"; was de slag geleverd, dan bevond hij zich in de voorste liniën, „om er wat orde in te brengen". Sloegen wij op de vlucht, dan was hij zo goed om vooruit te lopen teneinde de richting aan te geven. Kortom, hij was een geboren strateeg, en aldus beschouwden wij hem.
Het merkwaardige was dat onze ouders met levendige belangstelling deze gevechten volgden; ook zij waren eens Wampier geweest en hadden de Kakkerlakken gehaat en aan het ontbijt kon ik mijn Vader geen groter genoegen doen dan hem met een kleine overwinning te verrassen. „Is 't waar?" riep hij dan, zijn theekopje neerzettend, „hadden jullie die smeerlappen d'r onder?" en dan moest Vincent het hele verhaal doen, te beginnen bij het begin en eindigend met het eind, terwijl vooral in dat deel „waarin het heet begon te worden" geen kleinigheid mocht worden overgeslagen. En op dagen dat er een gevecht in de lucht hing, was hij gewoon in de deur ons aan te roepen: „Denk erom, geen half werk! D'r op of d'r onder!"
Wampier kwam zich deswege eens bij mijn ouders beklagen, dat hij van hen geen medewerking onder-

vond „om deze schandelijke praktijken met wortel en tak uit te roeien".
„Meneer," zei mijn Vader, hem rustig aanziende, „dat begrijpt U niet. U bent nooit Wampier geweest," welk antwoord een van de vaste familie-anecdoten is gebleven. Overigens was Wampier een stille bedeesde man, die het goed met ons meende, eigenlijk al te goed voor een schoolhoofd. „Och, die jongens," was hij gewoon te zeggen, daarbij, gelijk de meeste grote mensen, van de veronderstelling uitgaande, dat men eerst op zijn twintigste jaar mens is, en dat de periode daarvoor hoogstens een humoristische betekenis heeft, om er later wat over te glimlachen. Bijna eenieder is deze mening toegedaan, wat mij daarom zo verwondert, wijl toch ieder aan den lijve heeft kunnen ondervinden dat het *niet* zo is. De wereld van een jongen is wel wat kleiner dan die van een man, doch het is in zich een volmaakte wereld, waarin hij intenser en met voller overgave leeft dan hij ooit later leven zal. Zijn blijdschap is grote blijdschap, zijn droefheid is diepe droefheid. Waarom zouden wij over „kinderverdriet" spreken als over iets gerings?
Ik kan dat niet begrijpen. Ik voor mij heb vijf minuten lang in grenzenloze wanhoop voor een riool gezeten waar mijn gevlekte stuiter in gerold was. Zeker, als wij hetzelfde verlies nu zouden lijden, het zou ons niet raken: wij zijn zo belangrijk geworden! Maar toen, met dat kleine, levende, kloppende hart, was het verlies van een stuiter een ramp.
Ik geloof, dat men op elken leeftijd volledig mens is. Dat is mijn vaste overtuiging. Denkt ge, dat, als er een kind sterft, God een onvoltooid schepsel in zijn hemel neemt? Of zou Hij niet veeleer menen dat deze mens, met dat bruine spanbroekje, zijn tienjarige leven geleefd heeft, en dat het rijp en volgroeid is om heen

te gaan? Ik heb mij althans met deze gedachte getroost toen Hij het driemaal met mijn eigen lievelingen deed. En hoe groot was niet mijn verdriet over mijn wanhopig hoofd! Er scheen niets in te kunnen, maar dan ook helemaal niets. De eenvoudigste rekensom had zo iets angstaanjagend ingewikkelds voor mij, dat ik dikwijls niets anders kon doen dan schreien.

Sommigen schreven het aan weerspannigheid toe, anderen zagen er luiheid in, doch niemand kwam op de gedachte dat ik misschien wel van goeden wil kon zijn. Dag aan dag moest ik nablijven, strafthema's maken, sommen overschrijven en allerlei andere dingen volbrengen die de duisternis nog dichter maakten. Had men mij één weekje buiten in het gras laten spelen, dan zouden „A. J. van der Storm's Nuttige Reken-oefeningen" veel helderder voor mij geworden zijn. Doch het heeft zo niet mogen wezen. Het zal wel ergens goed voor geweest zijn, want de dingen gebeuren altijd met een bedoeling, die ver boven onze eigen aspiraties uitgaat, maar ik weet wel, dat ik 's avonds dikwijls onder bed keek of A. J. van der Storm er niet lag, zo groot was mijn vrees voor dien man. Later ging het wat beter. Er was toen een bijzonder knappe jongen uit Indië, ik geloof uit Soerabaja, in onze klas gekomen, en door een beschikking Gods werd hij juist naast mij gezet. Wanneer mij nu iets niet duidelijk was, begon hij het fluisterend uit te leggen; en zodra ik het dan begreep, lachte hij al zijn tanden bloot tot een geluidloze Indische grijns, tot ik haast bang van hem werd.

Wat is dat alles toch lang geleden!

VIERDE HOOFDSTUK

BEZOEK VAN DEN MINISTER VAN ONDERWIJS

IN den herfst van het jaar 1861 kwam Zijne Excellentie de Minister van Onderwijs, Kunsten en Wetenschappen onze school een bezoek brengen. Het was een vreselijk zenuwachtige tijd: Wampier schreeuwde over de trapleuning allerlei bevelen, trok ze daarna weer in, meende 's middags dat het toch maar beter was het wèl te doen, en zag 's avonds terug op een welbestede dag. Wij moesten onze handen wassen, onze schoenen poetsen, onze haren en nagels laten knippen. met nog talloze andere opdrachten, die tezamen den indruk maakten alsof wij al dien tijd in een vergevorderden staat van vervuiling hadden voortgeleefd.
Het waren grootse momenten: wij stonden allen aan den ingang met schone zakdoeken te wuiven, toen hij uit het rijtuig stapte. Daarna hield Wampier met een spierwit gezicht en trillende benen een toespraak waarin hij zijn vreugde uitdrukte over het Hoge Bezoek; waarop wij allen een lied zongen:

„Heil, minister, heil!
O Neêrlands' roem en vreugd,
Kom, luistert nu een wijl,
Hier groet U Dordregts jeugd!
't Is waar, hier prijkt geen eereboog
Noch klinkt uit koop'ren mond
Des tuba's daav'rend lied
Doch in ons ned'rig eerbetoog
Ontbreekt op dezen stond
De warme liefde niet!

Ga voort dan, Batavier,
Te strijden voor de konst
Met 't zelfde vlammend vier
Waarmee gij vijftien jaren
De konst hebt helpen baren.
Hoezee! Hoezee! Hoezee!
Dit zij ons aller beê!"

De minister begaf zich hierop zichtbaar ontroerd naar de koffiekamer om aan het „onderwijs-personeel" (en in het bijzonder aan juffrouw Vriesland) te worden voorgesteld.
Tenslotte maakte Zijne Excellentie een rondgang door alle klassen om zich persoonlijk met de onderwijsmethode op de hoogte te stellen. Hierbij had in de klas van mijn broeder Jozef, waar meneer Pille juist aan de aardrijkskunde bezig was, een betreurenswaardig voorval plaats. De minister had zich op een der achterste banken neergezet met het verzoek „gewoon door te gaan" en inderdaad deed de heer Pille enkele griezelige pogingen om op zijn gemak te schijnen, doch tenslotte bleef hij vanuit zijn lessenaar doodsbleek den minister aanstaren, of het een geestverschijning was.
„Komaan, meneer," sprak de minister, „gaat U door."
„Hi, hi," sprak Pille, „hi, hi! Dat is wat! Natuurlijk ga ik door, ga ik door, waarom zou ik niet, ik zeg waarom zou ik niet" – en hierop begon hij te beven en werd door Wampier de klas uitgeleid.
Bij ons kwam hij binnen onder de geschiedenisles, na ons eerst door het zij-ruitje een tijd lang gefixeerd te hebben op een bijzonder schrikaanjagende wijze.
„Wie is hier de slechtste, meneer," vroeg hij tenslotte aan Wampier.
„De kleine Bas, Excellentie," antwoordde Wampier, op mij wijzend, zonder de minste zweem van aarzeling.

Ik werd geheel koud en bleef verstijfd zitten. De minister keek mij even aan, en streek door mijn haren. Hoe weinig vermoedden wij beiden dat hij de hand legde op het hoofd van een zijner opvolgers!

* * *

Deze memoires zouden, zeker waar zij uit mijne pen zijn voortgevloeid, niet volledig zijn, indien ik U enige opmerkingen, het onderwijs zelve betreffende, zoude onthouden. Ik geloof immers in uwen geest te spreken wanneer ik mij tot degenen in het vaderland reken, die zich hieromtrent de weelde ener particuliere opinie mogen veroorloven. Welnu, het was wat het altijd geweest is en wel altijd zal blijven. Wij lieten tonnen bier leeglopen met een straal van $2^1/_2$ cm dikte, wij vergezelden de twee wandelaars A en B die elkaar in een punt P zouden tegenkomen (met nog andere opmerkelijke afspraken), wij groeven kuilen met ingewikkelde doorsneden en een ingewikkeld aantal arbeiders, wij voeren van Groningen naar Maastricht langs vaartjes waar geen sterveling ooit van gehoord had, wij wisten wat Dirk IV gedaan had in het roemruchte jaar 1161 en wat hij gedaan had in 1162 en wat hij zou gedaan hebben als hij het niet gedaan had, en wij zouden, ik weet het zeker, het merk boter gekend hebben waarmede De Ruyter in den slag bij Duins zijn schip had ingesmeerd, indien deze bijzonderheid niet in den loop der eeuwen was verloren gegaan. Vruchteloos heb ik in mijn vijfjarig ministerschap getracht hierin verbetering te brengen. Ik wierp op, dat het misschien twijfelachtig was of aanstaande kruideniers, loopjongens en loodgieters van al deze wetenswaardigheden enig gemak zouden ondervinden evenredig aan de bestede inspanning. Of het misschien niet beter ware hun te leren hoe het bier, dat zij elken dag dronken, gemaakt werd in plaats van het op een spitsvondige wijze te laten weglopen. Of *althans* die verschrikkelijke A en B konden veranderd worden in Jansen en Van Splithopen en het punt P in Dordrecht opdat in elk geval de wandeling iets menselijks kreeg. Doch het was alles tevergeefs. Er rezen interpellaties in de Kamer die allemaal beantwoord moesten worden, er verschenen boosaardige ingezonden stukjes van anonieme schoolhoofden, en de ontvangst op mijn inspectie-reizen werd tenslotte zó koel dat ik de biertonnen maar weer liet leeglopen en zelfs A en B hun romantische namen heb laten behouden. Dit is een nederlaag, ik weet het; doch het is geen smadelijke. Wie als tegenstanders Kamerleden, anonieme schoolhoofden en redacteurs van plaatselijke organen heeft, kan, onverschillig den afloop, met trots op den strijd terugzien. Want hij was heroïsch.

Tenslotte, aan het eind van dit hoofdstuk, enige gegevens over onze verhouding tot het vrouwelijk geslacht. Deze was meer dan gespannen. Wij vonden Maartje Bonemeijer een kat, Anne-Marie Bogaerts een huilebalk, Treesje Bijvoet een slang, Truus Mertens een klikspaan, Nellie Hoogstraten een klein krengetje, Corrie Zijlstra een verachtelijk mispuntje, en Catharina Dorre een kinderachtig lachebekje. Over Catharina Dorre kan ik nog mededelen dat zij twee vlechtjes droeg met rode strikjes erin, waaraan iedere Wampier gewoon was te trekken wanneer hem op dat ogenblik geen andere bezigheid inviel; en voorts dat zij mijne vrouw is geworden. Ik hoor nog haar vinnig antwoord toen ik haar een stuiter te leen vroeg: „Nee, Pieter Bas, dien geef ik aan aardiger jongens.”

Later bedacht zij zich een schonk mij negen kinderen. Grillig is de vrouw!

VIJFDE HOOFDSTUK

NIEUWE ERVARINGEN

OMSTREEKS het jaar 1859, dus op mijn negende jaar, kreeg mijn Vader plotseling het idee om te gaan verhuizen. Als wij vieren 's avonds ons oor plat op de matras legden, hoorden wij Moeder somtijds huilen tegen Vaders kalmerende bromstem aan. Want de gordijnen moesten langer gemaakt, de vloerkleden een stuk „ingekort", en allerlei andere dingen die een vrouw verschrikkelijk vindt, een man niet begrijpt, en de kinderen in een opwindende wereld binnenvoeren van opengebroken vloeren, „opgebonden" gordijnen, stoelen in „hoezen", deuren in „grondverf", en heel dien ongebonden natuurstaat, waarin alles mag en niets gek is. Dat was een schone tijd! Jozef en ik kregen een apart kamertje, op de bovenste verdieping, waar je de regendroppels zo opgewekt kon horen tokkelen tegen de dakpannen. Zijn bed stond schuin tegenover het mijne en het eerste en laatste wat ik gedurende zeven jaar van elken dag zag, was zijn zwart kuifje boven de lakens; zonder Jozef zou ik trouwens niet op dit kamertje hebben durven slapen; kosten noch moeite schenen door den bouwmeester gespaard om het vreeswekkend te maken: er was een doodlopend gangetje, er waren drie donkere kasten, die eendrachtig kraakten en het behang, dat oppervlakkig beschouwd uit rozeknopjes bestond, bleek bij het groeien van den avond uit duizenden rode hoofdjes te bestaan, die U ieder apart aankeken tot ge bevend onder de dekens kroopt. Het kamertje zag met één raam uit op den tuin, met het andere op de Jan de Witstraat; het eerste raam was 's zomers verre het voornaamste; daardoor hadden wij het uitzicht op een muziektent aan den Scheersingel, en, wat belangrijker was, op den dirigent daarvan. Ik heb zelden om een mens zo onbedaarlijk gelachen als om dezen dirigent; doch al zoudt ge me uw leven geven, ik weet niet wat er voor belachelijks aan hem was. Hij sloeg de maat als er gespeeld werd, hij hield ermee op als er niet gespeeld werd, hij boog als de mensen klapten, doch dit alles vonden wij zo verbazend geestig dat wij ons verwrongen van pret. Wij zagen altijd met verlangen uit naar den volgenden Zaterdagavond; dan werd er gespeeld - een zachte, enigszins vermanende muziek, en men was geen goed burger van Dordrecht zonder op dat uur voor een stuiver een stoeltje te huren en daar verder den gansen avond als een voorbeeld van ernst en plichtsbesef op te zitten. Wij konden ze allen vanuit ons raam bezichtigen: notaris van Wiegen, dominé Perk, burgemeester Bogaerts, dokter Lannoij, den wethouder van onderwijs Wittebol (ambtshalve), Wampier, Boddens, Pille, Manschot, allen met een sterk besef van den ernst van het ogenblik en hun eigen maatschappelijke positie. En voorts dokter Jolles (wiens vader slager geweest was), mevrouw Royaards, de dochters Royaards, notaris Kokker (een zéér goede partij), Deurnemans, Scheffer, Stappers, en al wat onze goede stad aan achtenswaardigs kon opleveren. Zo menigen avond lagen wij achterover in bed naar de zachte klanken te luisteren, die met vlagen naar binnen woeien. De avond scheen dan in mijn verbeelding uit louter room te bestaan, room met witte schuim.

Het andere raam was meer voor den winter bestemd; het zag uit op de Wijnandt-brug (die nu afgebroken is), en vandaar uit kon men de sterkte van het ijs berekenen, door nauwkeurig acht te slaan op het aantal „dubbeltjes” in deszelfs oppervlak. Beide ramen bezaten een brede vensterbank en wij kenden geen groter genoegen dan in ons nachthemd daarop te hurken en elkander verhalen te vertellen. Jozef was mij in vele zaken de baas, doch hierin was ik verre zijn meerdere. Het kostte mij niet de minste moeite drie uur achtereen te spreken over de toendra’s van Siberië, alhoewel ik er evenveel van wist als elke andere jongen van tien jaar. Dit eigenaardige talent, om over elk onderwerp, hoe onvruchtbaar ook, onbeperkten tijd te kunnen uitweiden, is mij later als Kamerlid uitstekend te stade gekomen. En ik zou zeker niet in ’s lands dienst die hoogte bereikt hebben, indien ik

Dokter Jolles

mij niet zeven jaar lang, avond aan avond, hierop had voorbereid.
Ook Jozef bezat, gelijk alle Bassen, een overvloedige fantasie doch hij maakte er slechts gebruik van tot het vertellen van kleine sombere verhaaltjes. Ik zie hem nog met opgetrokken knieën over de vallei des doods spreken, dat mij de rillingen over den rug liepen; hij was er juist de man voor: lang, zwart, mager en met een wat droefgeestig gezicht, dat hij, gelijk een echte Bas betaamde, enigszins schuin hield. Ach, die ongelukkige familie-trek! Van alle Bassen heb ik zeker het meeste verdriet ervan gehad; ik beproefde van alles om mijn hoofd recht te houden, doch op ogenblikken van geestelijke inspanning helde het vanzelf naar een zijde over. En naarmate mijn beroemdheid wies, groeide ook mijn ergernis hierover; ik zag mijzelf aan de conferentietafel gezeten op alle voorpagina's van de kranten, met het deerniswekkende uiterlijk van iemand die in slaap valt. Op gezette tijden verschenen er ingezonden stukjes van mensen die zich hierover gekrenkt voelden, en er was langen tijd in Amsterdam geen revue denkbaar of mijn hoofd was er op een of andere wijze in betrokken; en zelfs – ge zult het U nog wel herinneren – werd er een interpellatie in de Kamer tot mij gericht, waarom ik mijn hoofd schuin hield. Ik voeg eraan toe dat ik op aandringen van mijn lieve Catharina verscheidene pogingen deed om deze gewoonte af te wennen, doch mij en haar tenslotte troostte met de gedachte, dat het beter is een schuin hoofd te hebben dan in het geheel geen.
In de kamer recht onder ons sliepen mijn twee zusters, Pauline en Johanna. Ook al had niemand het ons verteld, dan zouden wij geweten hebben, dat zij mooie meisjes waren. Want er ging geen avond voorbij of de bloem der Dordrechtse jongelingen putte

zich uit in bewijzen van genegenheid, hetzij door voor ons raam heen en weer te lopen en op een zeker, door de traditie vastgesteld punt, den hoed af te nemen, hetzij door de vele voorwerpen op te rapen die mijn zusters in dien tijd op straat lieten vallen, hetzij, wat de meeste deden, door zich achter een boom voor ons huis op te stellen, en daar verder den helen avond te blijven staan. Wat met dit laatste beoogd werd, heb ik nooit geheel begrepen. Wel kan ik uit eigen ervaring mededelen dat het een bijzonder verdienstelijk gevoel geeft, en nu ik erover nadenk is het ook ongeveer het enige wat men doen kan.
Ach, daar schiet mij de huzaar door het hoofd! De huzaar had het op Pauline gemunt, dit stond – na een zeer pijnlijke onzekerheid – beslist vast. Hij was een van de velen, het zij erkend, doch de natuurlijke voorsprong, die zijn uniform hem verschafte, wist hij weldra zodanig te vergroten, dat er tenslotte alleen sprake was van „den huzaar" en van niemand anders.
In den beginne was zijn tactiek gelijk die van de anderen, dat wil zeggen hij salueerde op het bepaalde punt, hij raapte de zakdoeken op, verschanste zich achter een beukestam, doch dra begon dit zijn krijgszuchtig gemoed te vervelen en ging hij over tot een meer openlijken aanval. Ik zie nog het vuurrode gezicht van Jozef voor me; wij sliepen samen op hetzelfde kamertje en op een avond, dat hij in zijn nachthemd op het kozijn zat, riep hij plotseling met hese stem mijn naam:
„Pieter! Pieter! Hij doet 't!"
Met een sprong was ik uit bed op het kozijn, en inderdaad – het was ongelofelijk – hij deed 't. En dat niet alleen, hij deed het nog eens. Ik kan niet zeggen dat het verzet van Pauline bijzonder krachtig was, vooral niet na den derden kus.

„Ach, domme jongen," fluisterde zij enkele malen, met afgewend hoofd.
„Wat zegt ze," mompelde Jozef, met strakken blik, om niets te verliezen.
„Ze zegt, dat ie een domme jongen is."
„Ze is gek," zei Jozef, „ze heeft toch wat ze wil."
Wij hingen beiden ademloos over het kozijn.
„Liefste," sprak de huzaar, haar hand nemend, „zul je me niet verlaten?" (Er bestond niet de minste aanleiding tot deze veronderstelling, doch wij kregen de tranen in onze ogen.)
„Nee Jan," zei Pauline, „nee, ik zal je niet verlaten."
Zij wandelden tot het bosje onder ons raam waar wij hen niet meer konden zien. Doch hun stemmen hoorden wij nu zeer duidelijk.
„Jan!"
„Ja liefste?"
„Ik geloof dat Vader er tegen is."
„Hoe weet je dat? Heeft hij me wel eens gezien?"
„Nee Jan, nooit."
„Kent hij me?"
„Nee. Hij kent je niet."
„Waarom denk je dat dan..."
„Ik voel het, Jan. Het is een innerlijke stem."
Na een lange stilte, waarin ik mij verbeeldde, dat mijn hart tot ver in den omtrek te horen was, hernam Pauline:
„Het hindert óns niet, hé Jan? Al is de hele wereld tegen ons, je zult me niet verlaten, Jan?"
„Nee lieveling, ik zal je niet verlaten."
Zij gingen nog een wijle door met redenen op te zoeken waarom zij elkander zouden verlaten, toen het gesprek een andere wending nam.
„Pauline," zei de stem van den huzaar, „als je Vader er tegen is, het zij zo. Het staat niet aan mij over hem

te oordelen. Doch indien hij pogingen doet ons te scheiden, heb ik mijn sabel nog."

„Wat bedoel je daarmee, Jan?" vroeg een verschrikte stem.

„Niets," sprak de huzaar, „niets. Wees niet verschrikt, lieveling. Ik bedoel er niets mee; het was maar een losse gedachte."

Zij kusten elkander ten afscheid; de huzaar snelde door den maanverlichten tuin en sprong over de rozenhaag den duisteren nacht in.

Deze ontmoeting heeft Pauline vier gulden en twee zakken met knikkers gekost. Eén gulden als we de eerste drie maanden wilden zwijgen en na dien termijn nog een gulden en een zak knikkers indien we voor altijd ons mond wilden houden. Ik weet dat dit geen pleidooi is voor mijn broederlijke liefde; doch ik schrijf deze memoiries minder tot zelfverheffing dan tot stichting en lering mijner landgenoten.

* * *

Twee leden van het gezin Bas zijn nog niet aan U voorgesteld, Anna en Cats. Anna was een keukenmeid en het spijt mij, dat ik haar niet eerder in deze bladzijden heb binnengeleid; want zij hoorde bij ons huis, even innig als de dakpannen dit deden. Toen mijn Vader nog een kleine jongen was brak zij reeds onze serviezen, en zij is sindsdien in den stroom van dienstboden het enige baken gebleven. Daar evenwel, toen ik negen jaar was, God besloot dit baken te verzetten, herinner ik mij weinig van haar, behalve de twee vurige zwarte ogen, waarmee zij de wereld in keek.

Cats was onze papegaai. Hij heette eigenlijk Jacob Cats, doch dat was te lang. Hij was ons trouwens hierin behulpzaam door den gansen dag „Cats!" te roepen, met een kracht van geluid die verwonderlijk was voor

Anna

zulk een klein keeltje. En als de deur open ging, zette hij al zijn veren overeind en schreeuwde opgewonden: „Moet je nou 's kijken!" – wat voor den binnentredende uitermate strelend was. Doch 's morgens bij het ontbijt werd er een servet om zijn kooitje gebonden. Het ontbijt – ach ik weet wel dat ik van den hak op den tak spring, doch ik schrijf de herinneringen maar neer zoals zij in mij opkomen – het ontbijt vond ik telkens een feest. Het was zo'n wonderlijk gevoel 's ochtends half slaperig wakker te worden en dan plotseling tussen de lakens den fijnen, pikanten geur van ontbijtkoek te ontwaren, die zo goed was geweest drie trappen op te zweven, den hoek om te slaan, door de kieren van de deur te dringen, en in de neusgaatjes van een klein jongetje de blijde boodschap te verkondigen, dat de nieuwe dag was aangebroken, en dat men niets anders hoefde te doen dan met een zorgeloos hart de drie trappen af te holdebolderen, zijn servetje om te binden en zachtjes tegen de stoelpoten te trappelen.

Als dan allen voltallig waren, vouwde Vader de krant op, schouwde de tafel over en keek mijn Moeder aan. Deze vouwde de handen met het innige gebaar van iemand die het meent opende de ogen en keek op haar beurt mij aan. Want het was de gewoonte dat de jongste voorbad. Ik sprak dan het gebed uit, mijn best doende niet door mijn ooghaartjes te kijken, en wij begonnen te eten. Ik vond het altijd zo vrolijk om vlak na het „Amen” het geklikklak van messen en vorken te horen losbreken; niemand haalde het echter in zijn hoofd om te spreken. Wij gaven antwoord op de vragen die Vader of Moeder ons stelden en luisterden naar wat zij met elkander bespraken.

Het is alles bij elkaar wel mogelijk dat onze opvoeding streng was; maar in elk geval was zij verre te verkiezen boven de vleiende toespraken die de tegenwoordige Vaders en Moeders houden wanneer zij hun kind tot iets willen overhalen. Men kan tegenwoordig overal Vaders ontmoeten die hun jongen 's avonds op de knieën nemen en hem met buitengewoon diepzinnige argumenten op de voordelen wijzen verbonden aan het om acht uur naar bed gaan. De jongen staart door het raam en zegt „nee”. Vader rijst op en gaat de krant lezen, in de overtuiging alle redelijke argumenten gebruikt te hebben. Dat heeft hij ook. Doch hij heeft één onredelijk argument vergeten: een draai om de oren. Tegenover kinderen behoeft men niet altijd redelijk te zijn, gelooft een oud man. Zij hebben er

het verstand niet voor en zij zullen uw spitsvondigheid niet waarderen. Wilt ge een slaand argument, geef dan een slag. Met ze op de knieën te nemen bereikt ge niets. Met ze erover heen te leggen, bereikt ge alles.
Nochtans, ik wil niet de verdenking gaande maken als zou mijn Vader een interne brigadier geweest zijn. Hij gaf mij één keer, op mijn vijfde jaar, een klap dat de wereld om mij wankelde; dat was voldoende voor de andere vijftien jaren. Wij wisten allen wat er zou gebeuren als wij „nee" zeiden. Dus zeiden wij „ja". Het was heel simpel.
Maar wat doe ik toch! Reeds op een zo vergevorderde bladzijde aangekomen, loop ik nog steeds in een kort broekje rond, en in plaats van mij hierover te schamen en mijn lezers in allerijl ten ministerbroek te voeren (waarom zij dit boek gekocht hebben), dwaal ik met hen rond op allerlei zijpaden, aldus handelend gelijk zekere aapjeskoetsiers die de stad laten zien en hun kennis van de plaatselijke gesteldheid misbruiken om den reiziger door allerlei steegjes te wringen teneinde het tarief op te voeren. Schande! Schande! En dat, terwijl dominé Perk, rector Boddens en tientallen andere vlijtige burgers, wier geregeld bezoek ons tehuis maakte tot wat het was, het ogenblik verbeiden aan U voorgesteld te worden. Het is hun recht dat zij uit den nevel van zeventig jaren her worden gehaald en op dit heldere blanke papier gezet, onder de nieuwsgierige ogen van een jong kuiken als gij zijt (bij hen en mij vergeleken, let wel). Maar al is dit hun recht, over het tijdstip waarop dit zal geschieden heb ik alleen te beslissen. Het is aan mij of ik eerst dominé Perk zal binnenleiden of liever dokter Jolles den voorrang zal verlenen. Ik ben hierin volkomen vrij. Ik kan hen, wanneer ik vrees dat hun tegenwoordigheid den lezer begint te vervelen, van dit papier wegblazen alsof zij

een hinderlijk stofje waren. Welk een macht heeft toch de schrijver! Welk een innige vreugde verschaft het schrijven van een boek aan een eerzuchtig hart als het mijne! Hoevelen meer zouden niet naar de pen grijpen, indien zij dit genot kenden. Gij, ambtenaar bij het Stedelijk Gerechtshof, die een hond gekocht hebt om 's avonds ook eens te kunnen snauwen, en gij, drogist in de Veerstraat, die 's nachts in bed van eerzucht sterft en des ochtends krenten afweegt, kortom gij allen die van God een heersersgemoed en van uw Vader een nette betrekking gekregen hebt, schrijf, zeg ik U, schrijf een boek, en uw stoutste dromen worden vervuld. Uw rijk is wel klein, 300 bladzijden, 400 misschien als ge een groot leugenaar zijt, maar in dit rijk zijt ge dan ook een monarch, waarnaast een Romeins Imperator een kleine jongen is. Zie naar mij! Weet iemand van U wat er op de bladzijde komt na deze? Niemand. Ik echter weet het. Het staat mij vrij U te doen beven, lachen, schreien of gapen. Er is geen agent om mij tegen te houden wanneer ik notaris Niekerk in zijn onderbroek door de Veerstraat laat lopen. Van al de honderden personen die in dit boek voorkomen, houd ik de touwtjes in handen, ik trek eraan naar believen en zij dansen dienovereenkomstig. Wil ik dat burgemeester Bogaerts handenwrijvend binnenkomt, aan tafel gaat zitten, ja zegt bij de sla en nee bij de hutspot, let op, hij doet het. Hij mag dol zijn op hutspot, hij moge sla verafschuwen, toch doet hij wat ik wil.

Evenwel, mijne lezers, nu heb ik een weinig overdreven. Dit boek maakt toevallig in zoverre een uitzondering, dat het aan de waarheid gebonden is. Het zijn memoires. Mijn positie is te vergelijken met die van een constitutioneel vorst, die bij de uitoefening van zijn gezag aan de Grondwet gebonden is. En zelfs binnen

deze grenzen is mijn macht niet onbeperkt. Ik zeide wel zoëven dat het mij vrijstaat dominé Perk binnen te leiden of dokter Jolles den voorrang te verlenen, doch dat neem ik nu terug. Het was in het vuur van mijn rede. Ik neem het terug. Er bestaat wel degelijk verschil tussen dominé Perk en dokter Jolles. Het zou mij slecht passen dit te ontveinzen. Ieder goed Dordrechtenaar kent die verschillen en weet waar hij staan moet. Ik spreek hier niet over den afstand tussen den gemeenteontvanger en den chef der administratie. Een kind voelt dat aan. Maar de subtiele schakering te kennen tussen notaris Dorre en dokter Simons, of tussen Deurnemans en Bastiaanse, of, – om iets heel teers te noemen – tussen mevrouw Perk en de vrouw van wethouder Wittebol, zie, dat is de vrucht van een jarenlang burgerschap, gevoegd bij een geduldige observatie, dit alles zetelend in een fijnbesnaard ge-

moed. Waar mijn Vader en Moeder in pasten, weet ik niet recht meer; ik geloof dat zij zwevende waren in de ruimte tussen dominé Perk en dokter Simons, in tijden van depressie dalend tot den eerste, in dagen van voorspoed stijgend tot den tweede.
Bekend is het geval van dokter Jolles. Zijn hele leven was één meesterlijke tactiek om het feit te verbergen dat zijn Vader slager geweest was. Hij trouwde met de dochter van Bille, hij kocht een huis aan de Wijnandtbrug; en langzaam stijgend via den gemeente-ontvanger, langs den apotheker, langs Boddens, ja langs Venemeyer, bevond hij zich in de ruimte tussen Sanders en Simons, en zou weldra dokter Simons op den schouder hebben mogen kloppen, zeggende: „Kom je bij me, Jan, vanavond?" toen die noodlottige gebeurtenis voorviel op het kaartavondje van mevrouw Beekman.
„Wilt U nog thee, dokter?" had mevrouw Beekman gezegd (ze sprak deze woorden bij het raam, volgens anderen echter stond ze op den drempel). „Nee," had Jolles lachend geantwoord, „ik heb thuis nog een pot vol."
Op *het moment* dat hij dit zeide, verbleekte hij. Maar het was te laat. Zijn levenswerk was vernietigd. Hij viel tot ver beneden den gemeente-ontvanger, deed nog een paar pogingen om uit dit moeras omhoog te komen tot de dood hem verraste. „Gelukkig maar," zei mijn moeder, toen zij het hoorde.
Niet minder tragisch is het geval van notaris Niekerk, die op een Zondagochtend in zijn hemdsmouwen zijn tuintje aan 't begieten was, (hij was altijd een fantast geweest) en in dien toestand gezien werd door mevrouw Bogaerts. Notaris Niekerk trachtte nog het achterdeurtje te bereiken, doch tevergeefs. Het was een geruchtmakende zaak; mijn Vader wilde het eerst niet

Sanders en Venemeyer

geloven, doch toen het bericht vastere vormen aannam, was hij genoodzaakt zijn houding tegenover notaris Niekerk te wijzigen. Hetgeen in dezer voege geschiedde:

a. Notaris Niekerk zou voortaan het eerst zijn hoed afnemen, voordat mijn Vader zulks deed.
b. Op de kegelbaan zou mijn Vader vóór hem de ballen gooien.

c. Een koelere verstandhouding in het algemeen.

Zo ziet ge hoe ge op uw tellen moet passen, en hoe moeilijk het is om in uw boek werkelijk bestaan hebbende personen binnen te voeren zonder iemand der afstammelingen te kwetsen, met al den nasleep van boze brieven en ingezonden stukken. Zij zelve leven niet meer en kunnen zich niet verdedigen. Weet ge waar ze zijn? Zij liggen op het kerkhof even buiten Dordrecht, onder een paar oude beuken, precies naast elkaar, de apotheker naast den burgemeester, Simons naast Perk, Bogaerts vlak achter Stevens. Ik wandelde

Dordrechtenaren Anno 1860

er verleden week nog langs en ik verzeker U, dat het voor een Dordrechtenaar een fantastisch gezicht is den ontvanger naast den chef der administratie te zien liggen of Boddens naast Wampier. Ik vroeg den doodgraver of hij niet wist dat er enig verschil was tussen Perk en Bastiaanse, en of het niet veel beter was hen te begraven in de volgorde waarin zij geleefd hadden. Doch hij kwam uit Amsterdam, zeide hij, en kende de toestanden niet zo. Bovendien – het zijn niet mijne woorden – dood was dood en het had geen zin al die ouwe kadavers opnieuw te rangschikken. Hij was twintig jaar bij de marine geweest en had altijd z'n plicht gedaan. Er was niet dàt op hem te zeggen. Goed, goed. Het is niet verstandig voor mensen op mijn leeftijd met doodgravers te twisten; binnenkort heb ik hen nodig. Verstandig is het, de lezers met zachte hand van het kerkhof weg te voeren naar het volgende hoofdstuk, waar zij hen, wier zerken zij zoëven aanschouwden, in het volle besef hunner maatschappelijke positie zullen ontmoeten.

ZESDE HOOFDSTUK

BASTIAANSE

De grote mens, dien ik in mijn kinderjaren den bijzonderste van alle grote mensen in Dordrecht vond, woonde in de Wijnstraat en heette Bastiaanse.
Een eigenlijk beroep had hij niet; hij verrichtte die ondefinieerbare bezigheden die te onbelangrijk zijn om onder een bepaald beroep te vallen, en toch weer te gewichtig om geheel en al verwaarloosd te worden: het rondbrengen van trouw- en rouwkaarten, het vervaardigen van erebogen, het meelopen als „drager" of „huilebalk" in lijkstoeten en begrafenissen, het vervaardigen van toespraken en feest-cantaten, het dirigeren der kinder-aubade op 's konings verjaardag, en het uitzetten van paaltjes, spannen van touwen en bars rondkijken bij alle overige openluchtuitvoeringen.
En uit al deze scherven had hij zich toch tot een belangrijk, en zeker onmisbaar burger van Dordrecht weten samen te stellen, en zelfs de suggestie gewekt dat zonder Bastiaanse een openbare gebeurtenis eigenlijk niet mogelijk was. Het ware roekeloos om een optocht te gaan houden zonder Bastiaanse er in te kennen; ze zouden allemaal met vaandels en vlaggen recht de Merwede in gelopen zijn.
Ik vond het altijd iets heerlijks om bij Bastiaanse een doos guirlandes, of een verguld op snee „Huldedicht aan mijne Dierbare Ouders" te mogen halen. Dan kon men den meester persoonlijk aan den arbeid zien in zijn fantastische werkplaats, boordevol met de meest exotische voorwerpen; dan zag men hem in een of anderen duisteren hoek, gebogen over een paneel, of

hij hing ergens tegen het plafond, of men ontwaarde hem aan den muur, een doek uitspannend of een boog schilderend. Of hij lag over een geheimzinnig latwerk uitgespreid, dat overmorgen een gouden echtpaar het „Welkom” zou toeroepen. Want Bastiaanse had altijd iets „onder handen”; meestal had het haast, en opwindend was het immer.

„Geef's gauw die punaise an” – of „vlug, vlug, 'n spijker!” waren de prevelende uitroepen, die den binnentredende tot het juiste besef van den ernst van het ogenblik brachten.

Maar het liefste, ja het liefste zag ik Bastiaanse fotograferen.

Deze kunst was toen nog niet tot de ordinaire vingerbeweging afgezakt, die zij nu is. Neen, zij verkeerde nog in haar magisch beginstadium. Zich laten fotograferen betekende 's ochtends vroeg met boterhammen van huis gaan, en 's avonds laat volkomen uitgeput terugkeren. En een foto nemen betekende niet anders dan veertig, vijftig mensen tot een spits- of kegelvormige groep samen te knutselen, hen tot hun voordeligsten glimlach op te roepen en aan te manen, dan, voortdurend manend, vleiend, smekend en waarschuwend onder een zwarte doek te kruipen, van daaruit tot de bevinding te komen dat die juffrouw met dat karbiesje „niet op de lens staat”, onder den doek vandaan kruipen, de juffrouw met het karbiesje „twee strepen naar rechts” verschuiven, (waarop de juffrouw opmerkt, „dat ze daar al lang stond”), onder den doek terugkeren, ontdekken dat die meneer met dat zwarte dasje („bedoelt U mij?” „Nee, U daar!” „Wie, ik?”) een tikje naar links is afgedwaald, onder den doek vandaan komen, den meneer met het zwarte dasje (die een olijkerd is) drie strepen naar rechts terug voeren, eerbiedig glimlachend om zijn rake zetten en schalkse toe-

spelingen – onder den doek terugkeren, van daaruit de inmiddels tot schreien en plassen gebrachte kinderen op „het vogeltje" wijzen, den eenstemmigen kreet „dat ze het vogeltje niet zien" in opgewekten en stelligen toon beantwoorden met de verzekering dat, als ze maar goed kijken, het vogeltje zeker wel te zien is, het moet er zijn, het is er altijd geweest, en de drie seconden wantrouwende stilte die er valt, te benutten om den kreet „lachen! vrolijk lachen!" te slaken, een laatste, glazige blik door de lens te werpen, en met bevende hand het knopje in te drukken, in de ontmoedigende zekerheid dat ge een troep idioten met doorgezakte knieën vereeuwigd hebt.
Neen, fotograferen was geen dagelijkse bezigheid. Er waren destijds twee fotografen in Dordrecht, Hurrelbrinck in de Vischstraat en Bastiaanse in de Wijnstraat, doch voor mensen die zich respecteerden was er maar één: Bastiaanse. Het is waar, ook Hurrelbrinck bezat een fluwelen jasje, een breden hoed, en die eigenaardige manier van doen waaraan je altijd artisten kunt kennen; doch waarin Bastiaanse zich onderscheidde waren zijn brede opvattingen omtrent die zogenaamde „ongedwongen opstelling". Neem bijvoorbeeld de wijze waarop hij een groep behandelde. Waarom een groep, aldus Bastiaanse, altijd in een driehoek behandeld? Zag men bij een oploopje op straat de mensen in een driehoek staan kijken? Neen. Hij durfde wel zeggen: nooit. Welnu, men moest een groep naar het leven behandelen, en wel naar het leven, gezien door het oog van een kunstenaar. Niet het gewone leven – dan hoefde men geen foto's te maken – maar naar het landelijke leven, of naar het ridderlijke leven, of naar elk ander leven, behalve het normale. Hij, Bastiaanse, had een voorkeur voor het rustieke, het pittoreske leven. Had hij niet vorig jaar de ganse Vereniging tot Bestrijding

Fotograaf Hurrelbrinck aan den arbeid, naar een oude prent uit „de Fotografische Spectator" Jaargang 1860

van Drankmisbruik als Tirolers opgesteld, starend over de bergen van bordpapier, spelend op de dwarsfluit, kortom, alles in het werk stellend om hun burgerschap van de stad Dordrecht te vermijden? En het jaar daarvoor was met één slag zijn naam gevestigd door een meterhoge fotografie van zeventien Hongaarse Zigeunerinnen, op rotsen gezeten, met het sobere, maar niet minder verrassende onderschrift:

„De Dordrechtse Bond van Verenigde Naaisters"

In Bastiaanse's atelier hing ook een omvangrijke en indrukwekkende fotografie, waarop men de leden van „Ars et Amicitia" in een geweldige driehoek zag opgesteld, in den top een man met het vaan, in het hart mijn Vader met een horlogeketting. Ik heb deze foto altijd bijzonder vreeswekkend gevonden; de 150 Amicitianen keken U aan met den bitteren ernst van mensen die gefusilleerd worden, behalve den stokdoven penningmeester Tapselaar, tot wien het „ongedwongen kijken Heren!" niet was doorgedrongen, en die derhalve zijn gewone, goedhartige gelaatsuitdrukking had behouden. Op den achtergrond zag men de zuilen van een Romeinsen Tempel oprijzen, wat in mijn tijd de enig passende achtergrond voor een Vereeniging werd geacht. Groepen van 20–30 werden gewoonlijk in een woud gefotografeerd. Bastiaanse persoonlijk had drie wouden in voorraad, een eiken-, een beuken-, en een gemengd-loof-woud, waaruit de Heren konden kiezen. Wilde men echter *geheel alleen* gefotografeerd worden, dan leunde men tegen een houten hekje, met de linkerhand los afhangend, met de rechter op een vaas steunend, en naar de lens starend met een gezicht alsof ge niet wist dat de vaas van karton en het hekje van bordpapier was.

En dan het „Groot Tooneel of Reciteer Gezelschap", waarvan Bastiaanse de leiding had! Mijn Vader is nog een tijdje Werkend Lid geweest, en ik weet wel dat mijn hart ophield met kloppen, toen ik dienzelfden

Foto uit Atelier Bastiaanse

man, op wiens knie ik den vorigen avond nog gereden had, in een bombazijnen spanbroek over het toneel zag sluipen, met loerende ogen en een aluminium zwaard opzij. En met wat een spanning verbeidde de zaal de komst van den edelen jonkman! Hoe intens haatten wij allen den diepgezonken verrader! Hoe verfoeiden wij den ontaarden zoon, die tegen zijn nobelen Vader dorst zeggen: „Gij arme dwaas, richt vrij den ploeg en stuurt de eg! *Ik* zeg den landmansdracht vaarwel!" En hoe stichtte ons het nobele antwoord: „Ach zoon, ik kan U niet weerhouden. Doch sterven zal ik dra."

Want sterven, dat herinner ik mij goed, was bij de spelers van Bastiaanse een vaste gewoonte, waarvan slechts in uiterste noodzaak werd afgeweken. En aan het bibberen van de coulissen zag men den laffen moordenaar reeds een minuut van te voren aankomen. Hoe dikwijls hoorde men niet van achter uit de zaal hese waarschuwingen: „achter je! achter je!" doch nimmer kreeg de belanghebbende zelf het gevaar in het oog. In het algemeen trouwens had de zaal meer in de gaten dan de spelers zelve; nauwelijks was de eenvoudige landman door de linkse deur het toneel af, of wederom opende deze zich om zijn doodsvijand binnen te laten, rondloerend en prevelend: „Waar zou hij zijn, d'ellendeling?" Naar alledaagse berekening moest hij d'ellendeling recht tegen het lijf gelopen zijn, maar de spelers van Bastiaanse waren geen alledaagse mensen. Als de ganse zaal tot het schellinkje toe duidelijk vernomen had dat de dienaar sprak: „Jawel, heer Graaf, uw wil is wet!" (en terzijde): „Moge hij naar den duivel lopen!", dan antwoordde de graaf goedig: „Welaan dan, Boudewijn, nu fluks wat wijn gehaald –"

Maar ach, lieve lezers, wat hindert dat alles als het duizenden harten uit de kleine, grijze zorgjes opheft en voor drie uren rondleidt in een verrukkelijke wereld, waar de dingen vanzelf schijnen te gebeuren, waar zelfs het sterven een genot is?

Ik zou de herinnering aan dezen man niet zo levendig bewaard hebben, indien hij niet, daartoe wellicht gedreven door mijn kinderlijke bewondering, een soort beschermheerschap over mij was gaan uitoefenen. Vaak liet hij mij een vers opzeggen, van Bilderdijk of Tollens, of hij wilde dat ik een van zijn gelegenheidsgedichten voordroeg, met de moeilijke buigingen links en rechts, terwijl hijzelf vanaf een of andere ladder op mij neerzag, en na afloop naar beneden kwam en mij een kus gaf. „Het is heel goed, kereltje," zeide hij dan, in zijn snor bijtend, „waarachtig, nou zie ik pas hoe mooi het is" – en dan was hij een poosje aangedaan. Arme man! Ik was misschien de enige in Dordrecht, die de poëtische schoonheid wist te waarderen der verheven aanvangs-regelen:

„Lieve Pa! Lieve Moe!
(buiging links, buiging rechts)
Op deez' schone, blijde feestdag,
treed ik sierlijk op U toe."

en door veelvuldige oefening had ik deze passage tot zulk een verfijnde sierlijkheid opgevoerd, dat Bastiaanse somstijds „z'n eigen d'r niet meer in herkende". En op een dag zeide hij mij plotseling dat ik zelf eens een vers moest maken. Ik werd vuurrood alleen al bij de gedachte, en stamelde dat ik daarvoor nog lang niet kundig genoeg was; doch hij hield vol, en door dit aandringen bemoedigd, vervaardigde ik het volgende gedicht:

Eens op een kouden winteravond
een grote stad werd opgeschrikt
doordat een huis met vele mensen
door brand en rook plots werd verstikt.
De mensen drongen in getale
ze gilden, riepen stom verward,

Lieve Pa! Lieve Moe! (buiging links, buiging rechts)
Op deez' schone, blijde feestdag, treed ik sierlijk op U toe...
etc.

---

wat zouden ze ook, want voor hun ogen
geschiedde toch de grootste smart.
De stumpers waren ingesloten
door vuur en rook, de bondgenoten,

aan ieder raam zich wee geklaagd
uit iedere kamer opgejaagd
door stikkend damp en tergend vuur
de stakkers zij betaalden duur.
De brandweer sleepte met de slangen
en werkte druk koortsachtig voort,
maar op de kans om nog te redden
was lang reeds alle hoop gesmoord.
Steeds groter werd de zielsellende,
verstijfd van schrik zag men het aan,
hoe of men daar zijn medemensen
in vlammen dood moest laten gaan.
Ze krijsten, gilden om de buren,
de mannen beukten op de muren,
maar wat hielp 't in een huis als dat,
waar immers toch geen branddeur zat.
Daar plots verscheen een vrouw in wanhoop
met kinderen voor een vensterglas!
Dan is er een onder de velen,
een held, één van 't ware ras,
die rent naar boven vastberaden,
dwars door 't vuur met heldenmoed,
hij pakte van de arme moeder
de kleine wichtjes vol met bloed.
Doch na den brand vond men den brave,
in smeulend as verbrand begraven,
de kindervriend lag uitgestrekt,
door kinderlijkjes toegedekt.
Ons leven lang behouden wij,
een eerbied voor den man als hij.

Toen Bastiaanse mij dit hoorde voordragen, barstte hij in hete tranen uit en zeide dat ik een groot man zou worden. En toen ik ruim een halve eeuw later Minister van Onderwijs werd, was de eerste gelukwens die ik op mijn bureau vond een beverig briefje uit het oude-mannenhuis van Bergen op Zoom:

Geachte Zijne Hoogheid!
Nou? wat heb ik je gezegd?

Bastiaanse.

De verdere gegevens, die ik omtrent den „Wampier-tijd" *) van Zijne Excellentie vond, verkeerden nog te zeer in statu nascendi, dan dat ik hen nu reeds onder de aandacht van zulk een excellenten lezerskring waagde te brengen. Volstaan wij voorshands met de wetenschap, dat Zijne Excellentie de klassen met zeer matig succes doorliep, niettemin gelukkig eindigend met het Getuigschrift „van vlijt en ene voldoende bekwaamheid" uit de handen van den heer Wampier te ontvangen, en betreden wij thans met gepasten eerbied en oplettendheid het zogenaamde „Boddens-tijdperk" (het woord is van denzelfden historicus), in de hoop onze leergierigheid met nieuwe, nog belangrijker berichten te bevredigen.

*) De uitdrukking is van Dr L. Simons, aan wiens ijverige naspeuringen ik veel verschuldigd ben.

ZEVENDE HOOFDSTUK

EEN BEZOEK AAN DE LATIJNSE SCHOOL

EVEN buiten Dordrecht (het is nu een doolhof van huizen) rees destijds een gebouw op, zo deftig van uiterlijk, zo vol niets ter zake doende versierselen, met zulke plechtige kozijnen, met zulke donkerbruine deuren, dat een voorbijkomend vreemdeling onwillekeurig den hoed afnam, zeggende: „Dit *moet* de Latijnse School zijn." Het *was* de Latijnse School. Sla slechts ten bewijze hiervan uwe ogen opwaarts naar den driehoekigen gevel en de gulden letters daarin aangebracht:

quam dilectatem ex studio capimus! *)

Zie ook de donkere oude poort naar de binnenplaats en de twee engelen aan weerszijden met zoveel ijver op trompetten blazend dat horen en zien U zouden vergaan zijn, indien zij niet door een gelukkige omstandigheid van gips geweest waren. Zie het marmeren gelaat van Cicero, temidden van talrijke engelen en zegekarren, onverstoorbaar starend over den Rotterdamsen weg. Hij is gedekt door een vogelnestje en het misstaat hem niet. Zie de twee granieten vazen op den dakrand, overleggend of zij naar beneden zouden vallen of nog enkele jaren aan de drie eeuwen van hun indrukwekkend bestaan toevoegen (en telkenmale tot het laatste besluitend). Aanschouw het bronzen standbeeld van Demosthenes, met opgeheven arm, aldus sinds onheugelijken tijd alle nieuw aankomende

*) „Welk een behagen scheppen wij in de studie!" Cicero ad Pomponium.

Wilt u hier een
postzegel plakken
voor frankering
als drukwerk

Aan Uitgeverij Het Spectrum

Postbus 2073

Utrecht

jongetjes de stuipen op het lijf jagend. Zie den eveneens bronzen Vergilius te paard, in vollen draf den „Aeneas" lezend (een uitnemend ruiterstukje). Zie de donkere, verweerde muren, de groen uitgeslagen stenen, het koperen poorthek, zie dat alles en buig het hoofd, bij U zelven prevelend: „Dit is de Latijnse School. Binnen deze muren hebben geslachten van Dordrechtenaren declinaties opgezegd, werkwoorden verbogen, gegicheld, gefluisterd, en loodlijnen getrokken. Dit is de plek. Hier sta ik. Dit is de plaats."

Welnu, indien dit de gedachten zijn die een volwassen man bestormen bij het aanschouwen van een dergelijk gebouw, welke waren dan de gevoelens van Pieter Bas, toen hij aan de hand zijns Vaders het donkere poortgebouw binnentrad! Hoewel ik de enige ben die het weten kan, weigert hier mijne pen. De panische eerbied, waarmede ik dezen tempel van kennis betrad, de bijgelovige nieuwsgierigheid waarmede ik enkele der gelukkige stervelingen, die hier hun wijsheid putten, in het voorbijgaan bezag (zij stonden tegen een muur geleund en vertoonden in hun uiterlijk ene opvallende gelijkenis met gewone jongens), de wetenschap, dat ik binnen enige ogenblikken zou worden voorgesteld aan den man – indien ik hem zo noemen mag – die hierover den scepter zwaaide, dit alles, ik herhaal het, weigert mijne pen te beschrijven.

Wij staken de binnenplaats over en trokken aan de bel. Mijn God, wat een bel! Had dezelfde vreemdeling, op wien ik zoëven doelde, niet anders gedaan dan geblinddoekt aan deze bel getrokken, hij zou gezegd hebben: „Dit *moet* de Latijnse School zijn." Dezelfde onheilspellende, hoge, galmende klank die men ook wel – zij het in mindere mate – bij ziekenhuizen en tandartsen aantreft en die U het laatste restje geestkracht op de stoep doet achterlaten.

Wij traden dan binnen en werden in de wachtkamer gelaten. Mijn hemel, wat een wachtkamer! Had dezelfde vreemdeling (ge kent hem wel) zijn neus slechts om de deur gestoken, hij zou uitgeroepen hebben: „Ik zie het al! Dit kan niet anders dan de wachtkamer van de Latijnse School zijn!"

Behoef ik haar nog te beschrijven? Ge kent de rechtgerugde stoelen, het gewreven zeil, de gesteven gordijntjes, het glimmende hout, de zindelijke geur en heel de dodelijke verveling die er van dergelijke nooit gebruikte kamers uitgaat. Wij zaten en wachtten. Wij zeiden tegen elkaar dat het lang duurde en staarden uit het zindelijke raam. Mijn Vader begon 'n deuntje te fluiten, doch het gebouw werd zo kennelijk ontwijd, dat hij er plotseling mee ophield en zijn neus snoot.

Ik heb later opgemerkt, dat het de gewone tactiek van hoogwaardigheidsbekleders is om op zich te laten wachten. Ik zelf heb als minister mijn bitterste vijanden verslagen eenvoudig door ze een half uur in mijn wachtkamer te laten zitten. Wat ter wereld kan een mens gedweeër en eerbiediger maken? De geest, door niets in het vertrek bezig gehouden, kan zich ten volle wijden aan het doel, waartoe ge gekomen zijt en aan den persoon, tot wien ge zo dadelijk wordt toegelaten; deze schijnt met de minuut te zwellen in gewicht en waardigheid; ge waart eerst van plan hem eens flink te zeggen „waar het op staat," maar uw vastberadenheid vloeit langzaam weg over het gewreven zeil. „Wat duivels," zegt ge, en loopt op en neer gelijk de reiziger in een herberg om zijn warmte terug te krijgen. Doch het baat U niets en als eindelijk de knecht in de deuropening verschijnt met verzoek „maar te volgen," dan loopt ge achter hem aan door de lange donkere gang met dezelfde gevoelens, waarmede ge eertijds uw rapport aan uw Vader liet zien.

Nog eens, indien dit de gevoelens zijn van een volwassen man (en dat zijn ze, tracht het niet te ontkennen) is het dan verwonderlijk dat mijn hart ophield te kloppen, toen rector Boddens glimlachend den drempel overschreed?
„Wie zie ik daar?" zeide de rector, de handen tegen elkaar brengend om verrassing uit te drukken. „Meneer Bas, de gemeente-secretaris! Wel, dat is een genoegen. Non sunt minimi qui regunt civitatem!"*)
„Zegt U dat," antwoordde mijn Vader in zijn onschuld, „dit is mijn zoon Pieter, die gaarne deze school zou betreden."
„Hij is welkom," antwoordde rector Boddens, mijn hand omvattend en er een kneepje in gevend, „ik kan niet anders zeggen, U brengt mooi weer mee. Tenminste –"
Wij gingen allen glimlachend zitten.
„Zo. Wel, wel. Is dat uw zoon Pieter. Hij lijkt op zijn Vader, alleen moet hij nog wat groeien, ha, ha!"
Wij begonnen allen te lachen en hielden er tegelijk mee op.
„Ja, zo is het," hernam de rector, „hebt U de –"
„Jawel, rector," zeide mijn Vader, de getuigschriften van Wampier uit zijn binnenzak trekkend, „hier zijn ze."
De rector zette een gouden knijper op en begon te lezen. Nu kon ik hem eerst recht op mijn gemak bekijken.
Rector Boddens bezat een groot rood hoofd met grijze krulletjes; de oren stonden wat wijd van zijn hoofd, de mond was te groot, kortom, hij maakte op den vluchtigen beschouwer een ietwat boerigen indruk. Zij die oplettender toekeken, oordeelden evenwel anders

*) „Het zijn de minsten niet, die de stad regeren!" Cicero ad Verrem, Lib. 4, 3, 1.

Rector Boddens

want ondanks deze fouten in de onderdelen, lag er over zijn gelaat een onmiskenbaren glans van waardigheid. Misschien kwam dit door de enigszins naar beneden getrokken mondhoeken; of het vond zijn oorzaak in de eigenaardige manier waarop hij zijn gezicht naar boven hield en vandaar naar beneden keek (zodat de aangesprokene het idee kreeg kleiner te zijn). Het is echter een te stoffelijke zienswijze den indruk van een menselijk gelaat aan bepaalde onderdelen toe te schrijven, zoals den stand van den mond of den vorm der ogen. Want deze mening houdt geen rekening met het grote wonder van elk gezicht: de ziel. En de ziel van rector Boddens was een wonderlijk mengsel van verheven waardigheid en beminnelijke goedertieren-

heid, zodat men, hem aankijkend niet wist wat te doen: hem te vrezen, of lief te hebben.
De rector had intussen de lezing beëindigd.
„Wel," zei hij, ons beurtelings aankijkend van onder zijn knijper, „daar ben ik niet ontevreden over. Integendeel, mag ik wel zeggen. Ik geloof in den geest van uw Vader te spreken – ik weet het niet – wanneer ik meen dat de eerste schreden op het pad der wetenschap niet zonder succes zijn afgelegd." Hij glimlachte.
„Zo is het," antwoordde mijn Vader, eveneens glimlachend.
„Dulce est videre pretia studendi," zeide de rector plotseling, na enige stilte.
„Niet anders," antwoordde mijn Vader, met een knikje.
Er ging enigen tijd voorbij met het oprollen van de getuigschriften; toen ook de rode P van Petrus verdwenen was, hernam rector Boddens, de rol overhandigend:
„Ik hoop dat uw zoon op denzelfden weg zal voortgaan zonder zich, door wien of wat ook, te laten afleiden. Ik ben daaromtrent niet zonder verwachtingen, durf ik wel zeggen. Het pad der humaniora is niet van moeilijkheden ontbloot, als ik mij zo mag uitdrukken; maar (hier kreeg ik een tikje op de hand) de moeilijkheden zijn er om overwonnen te worden. Het is natuurlijk maar mijn eigen mening, doch ik geloof dat meneer Bas..."
„Zeker, zeker!" zei mijn Vader.
„Nu," hernam de rector, „het doet mij genoegen niet alleen te staan met mijn opinie. Dat is altijd een beetje..."
„Onprettig," zei mijn Vader.
„Juist, onprettig. Zo voel ik het althans. Ja. Wilt U de gebouwen zien?"

Mijn Vader wilde toevallig erg graag de gebouwen zien. Hij had altijd gedacht wanneer hij hier langs kwam: komaan, ik zou die gebouwen wel eens willen zien. Wat zou *ik* graag die gebouwen willen zien. Maar ja, daar was nooit iets van gekomen. De rector drukte op zijn beurt zijn vreugde uit, eindelijk eens aan dit verlangen te kunnen voldoen en zijn spijt het niet eerder te hebben geweten. Mijn Vader zeide toen dat het niets hinderde; ik meende in mijn onervarenheid dat nu de tijd wel rijp was dat wij elkaar uit louter beleefdheid zouden omhelzen.
Doch wij stonden slechts op, en zagen de gebouwen.

ACHTSTE HOOFDSTUK

INTREDE VAN PIETER BAS IN DE LATIJNSE SCHOOL

Zo was ik dan aangenomen als leerling der Latijnse School en gerechtigd tot het dragen ener „Duitse muts", een hoofddeksel dat men slechts in Aken kon verkrijgen en mij alleen al daarom hoogst begerenswaardig voorkwam. Het was zaak haar met zorgvuldige achteloosheid schuin op het hoofd te plaatsen en daarbij een gezicht te zetten alsof ge niet wist dat uw makkers schier van afgunst stierven.
Aldus getooid begaf ik mij naar het schoolgebouw. Ieder kent die gevoelens van den eersten September; het is droefheid, vreugde, verwachting, vrees, een eigenaardige beklemdheid. Het nieuwe beangstigt en trekt aan. Ge weet het niet meer, ge kent U zelve niet. Plotseling komt het grote verlangen over U klein te zijn en in de zon te spelen op het grint, zoals vroeger, met geen andere zorgen dan witte steentjes op een hoopje te leggen. Ach, lieve lezers, het menselijk hart is een groot geheim!
Aan deze tegenstrijdige gevoelens ten prooi wandelde ik geruimen tijd voort, daar de latijnse School een eind buiten de stad lag. Vreemdelingen kwam deze omstandigheid zonderling voor, doch zij had – en daar waren wij allen zeer trots op – een historische reden. Het gebouw was vroeger een kruitmagazijn geweest, en nu, sinds de omwenteling, *) was het een Latijnse School, wat overigens, gelijk rector Boddens glim-

*) Ik kon niet nagaan of Z.Exc. hiermee de Franse Revolutie bedoelde of de afscheiding van 1830.

lachend placht op te merken „weinig verschil maakte”. Aan haar vorige bestemming droeg het gebouw nochtans enkele herinneringen, zoals de twee gekruiste kanonnen boven de hoofddeur, of de ijzeren haken waar wij onze tassen aan hingen, doch die vroeger dienden om de geweren in te zetten. Deze bijzonderheden maakten groten indruk op mij. Ik verbeeldde mij de soldaten te zien met hun gebronsde gezichten en koperen helmen, en somstijds hoorde ik duidelijk de geweerkolven donderen op den ouden vloer. Ik herinner mij, toen ik voor het eerst door de donkere gangen dwaalde, dat de angst mij om het hart sloeg, angst en toch ook weer verrukking, ik weet niet waarom. Het was er somtijds zo donker, dat men nauwelijks de zoldering kon zien. De muren waren zeer hoog en verloren zich gaandeweg in geheimzinnig duister; doch wanneer men scherp toekeek, zag men overal spreuken aangebracht van een zekeren heer Cicero, die hier groot gezag scheen te hebben.
De glorie van de school was echter een enorm schilderij met fluwelen kwasten, voorstellende het ogenblik waarop de kanonneerboot van Van Speyk in de lucht vloog. Het was geen geringe opgaaf die de schilder zich gesteld had, doch hij had zich hiervan zo natuurgetrouw gekweten, dat men elk ogenblik verwachtte den knal te horen. Midden in het doek zag men Van Speyk, met zijn hoed nog op, door de lucht vliegen, omringd door een dichte zwerm losse armen en benen, wat hem niet belette, om, blijkens het onderschrift, uit te roepen:

„Daar vaar ik heen.
God helpe mij!
Doch niet alleen;
Den Belg erbij!

Het Waalsch Gebroed
Viel onverhoed,
Ons zeeschip aan:
Ha! 't Is hem slecht bekomen!
Fluks heb 'k de lont
in 't kruit gestoken,
Daar vaar ik op!
De Dietsche vlag gewroken!"

een vrij lang gedicht, de omstandigheden in aanmerking nemend. Ik heb langen tijd in beraad gestaan, wat meer te bewonderen: het scherpe oor van den ooggetuige, of de tegenwoordigheid van geest des kapiteins; en, alhoewel indruisend tegen de algemene opinie doet men goed zijn bewondering gelijkelijk over beide te verdelen. Ik weet nog duidelijk met welk een kinderlijken trots de oude Boddens het kunstwerk aan mijn Vader toonde. „Het is prachtig, vindt U niet?" aldus sprak de rector, na met een stok verscheidene rondzwervende lichaamsdelen aangewezen te hebben, „moet U zo'n beentje eens zien of zo'n armpje; en zo zijn er honderden. Het moet een heel geduldwerkje geweest zijn, sed patientia vincit omnia, zeg ik met Cicero." Rector Boddens, die over dit alles den scepter voerde, zeide altijd iets met Cicero. Hij voelde zich veilig achter den breden rug van den Romeinsen Senator en kwam er zelden achter vandaan. En zelfs de momenten dat men hem lichamelijk zag, waren schaars. Zijn enigszins verwarde verschijning op een gang of in een lokaal had dan ook zulk een uitwerking dat hij de school minder door zijn aanwezigheid scheen te regeren dan door zijn indrukwekkende afwezigheid. Hij scheen dit ook zelf te beseffen; want zelden gaf hij zich bloot, zelfs wanneer men hem rechtstreeks naar zijn mening vroeg. Rector Boddens had hiertoe een indirecte wijze om de dingen te zeggen, die zijn eigenlijke opinie omtrent de zaak zoveel mogelijk in het duister liet. „Ik ben niet ontevreden," zeide hij, wanneer de zaken er goed voor stonden, of „ik voor mij zie geen beletselen," als hij gewoon „ja" bedoelde. Behalve het bijzetten van een zekeren luister bood deze manier van spreken het voordeel dat zij hem van de nare noodzakelijkheid onthief om besluiten te nemen. „We zullen zien," sprak hij dikwijls, voor een beslissing geplaatst, „er is iets voor en er is iets tegen. Helemaal ongelijk hebt U niet. Ik voor mij zal doen wat ik kan", en men ging weer even wijs heen als men gekomen was. Zeker, rector Boddens was onbewust een diplomaat. Wie anders wist op zulk een doeltreffende wijze een geschil te beslissen tussen leraar en leerling? Hij gaf ze beiden op zijn fraaie indirecte wijze gelijk en trok zich daarna terug in zijn particuliere vertrekken.

Toch was hij, krachtens zijn ambt, genoodzaakt zich af en toe onomwonden over een kwestie uit te spreken. Het was de moeite waard hem dan te zien. Want had hij eenmaal een beslissing genomen, dan was rector Boddens er kinderlijk blij mee. Hij verzamelde zijn leerlingen op de binnenplaats, en sprak ze vanaf het stoepje toe. Hij begon gewoonlijk zijn beslissing met enkele Latijnse onbegrijpelijkheden in te leiden, wikkelde haar dan bedachtzaam in enige bijzinnen, draaide haar om en om als een jongen met een gekleurden stuiter doet, bestrooide haar kwistig met citaten van Cicero en was niettegenstaande al deze pogingen om helder te zijn zo uitermate duister, dat niemand, de spreker incluis, enig recht begrip van de zaak had. De eerste September was meestal zulk een gelegenheid. De goede rector had een hele vacantie achter den rug gehad om zich omtrent een beslissing te beraden en zij was door dien langen bedenktijd zo uitermate schitterend ge-

worden, dat zij gewoonlijk in de aula zelve werd uitgesproken. De aandachtige lezer stelle zich dus de ontzetting voor waarmede ik mij dien eersten dag derwaarts spoedde. Alleen al de gedachte dat die verheven mens ook tot *mij* sprak, dat ik een van de toehoorders uitmaakte, was overweldigend.
Reeds een kwartier tevoren was de zaal met een rumoerige schare gevuld. Ik ontwaarde geen enkel bekend gezicht en voelde plotseling in mijn verlatenheid de neiging opkomen hier te wenen. Alleen de gedachte aan de Duitse muts die ik op had, weerhield mij.
Om tien minuten voor negen kwamen rector en leraren binnen, namen plaats achter een lange groene tafel, wreven hun brilleglazen op, sloegen iets van hun knieën, en keken daarna rond met die uitdrukking van peinzende onverschilligheid, die wij allen wel eens voorwenden wanneer wij ons niet op ons gemak gevoelen.
De rector zat precies in het midden, stralend van luister. Op een gegeven ogenblik stond hij recht, hief de hand op, en ving aldus aan:

„Geachte Confrères! Waarde Leerlingen!

Wie geen acht geeft op de vermaningen zijns leermeesters, hem tuchtig ik met de roede; aldus de onvergelijkelijke Cicero, wiens naam niet alleen op den voorgevel van dit gebouw, doch ook, naar ik vastelijk betrouw, in uw aller harten geschreven staat. Ik zou dit citaat niet aan het begin mijner rede, en hiermede aan het begin van dit nieuwe jaar geplaatst hebben, zonder daarmede mijn bedoeling te hebben. Welke immers, aldus Demosthenes, is de zin der woorden, indien zij niet de tolk des harten zijn? En ik waag het antwoord te geven: ijdelheid, en niets dan ijdelheid. Welnu dan mijne leerlingen, ik wil met deze woorden mijn vaste besluit uitdrukken om degene – wien ook – die zich – uit welken hoofde ook – aan de regels van dit instituut onttrekt, hetzij door daaraan geen gevolg te geven, malum negativum, hetzij, wat erger is, door juist datgene te doen wat in deze regels ontraden, ja, verboden wordt, malum positivum, om dezulken, zonder onderscheid van persoon, noch dien zijner ouders, noch dien zijner bloedverwanten, *ten strengelijksten* te straffen. Ik herhaal: dit is mijn vast besluit. En geen macht ter wereld, wie ook, waar ook, en wat ook, zal mij van dit besluit afbrengen. Ik tart ieder dit te doen."

Rector Boddens zweeg, en keek rond. Doch daar niemand in de doodstille zaal aan deze uitnodiging gehoor gaf, ontspanden zich zijn trekken, en vervolgde hij op milderen toon:

„Uwe ouders hebben U aan mij en aan mijn geachte confrères (buiging in de richting der leraren, die terugbogen) toevertrouwd. Ik dank hen voor dit vertrouwen en hoop het niet te beschamen. Doch aan deze gevoelens van dank paren zich die van bezorgdheid. Ik zeg: gevoelens van bezorgdheid. Waarom zeg ik dit? Is het bezorgdheid om de inspanning, de moeite, ja, de slapeloosheid somwijlen, die dit komende jaar uwen rector weer vragen gaat? Neen, duizendmaal neen. Ik meen vastelijk in den geest mijner confrères te spreken, wanneer ik verklaar, wanneer ook, mijn gehelen persoon en dien mijner confrères veil te hebben voor een voorspoedigen groei van Dordrechts jongelingschap (lang en warm applaus). Is het dan bezorgdheid om geldelijke bekommernissen? Wederom moet het antwoord luiden: neen. De mildheid uwer ouders, in samenwerking met die onzer geëerbiedigde regering stellen ons in staat al die middelen te gebruiken welke

wij tot bereiking onzer oogmerken wenselijk achten
Maar, zo roepen wij met Cato uit, „quid aliud, Antigone carissime, mentem praemat?", „wat anders is het dan, o dierbare Antigones, dat uw hart met zorg bezwaart?"
Waarde leerlingen! Het is niet dan met grote kiesheid dat ik dit onderwerp durf aanroeren. Konde ik het laten, gewis, ik zou het. Doch nooddruft dwingt mij te spreken. Ik heb dan gemeend te mogen opmerken, dat de aandacht mijner leerlingen niet meer uitsluitend op de door mij aanbevolen leerboeken is gevestigd, doch dat een gedeelte daarvan zich – ontijdig! ontijdig! – wijdt aan wat in den volksmond – men vergeve mij het woord – „ene losse scharrel" genoemd wordt."
Bij deze passage voer een onderdrukt gemompel door de zaal. Even snel was het weer stil. De rector vervolgde met dubbelen luister:
„Somtijds ging deze verstandhouding niet verder dan een groet, een blik, een lach, gelijk ik uit mijn raam heb waargenomen. Doch somtijds ontaardde zij in een wandeling langs de Wijnhaven, aldus den naam van ons instituut in de modder werpend. Dit zijn geen losse geruchten. Ikzelf ben een onzer scholieren gearmd tegengekomen op 't Schippersplein!"
De rector wachtte even, om dit vreselijke bericht voldoende te laten inwerken. Toen vervolgde hij, met innig welbehagen:
„Mijne leerlingen! Het zij verre van mij, om – gelijk de oude Proximenes – tegen het huwelijk, *in se*, gekant te zijn. Aldus doende zou ik niet anders dan mijn eigen oorsprong verloochenen. „Gelijk de steenbok op de bergweide en gelijk de tortelduif in het loof, zo sticht ook de man, tot wasdom gekomen, een eigen haard," aldus spreekt de onsterfelijke Aristoteles in

zijne Nuptialia. En ik zou dit citaat met talrijke kunnen vermeerderen, alle aangevende met hoeveel welgevallen de grote Stachiriet een passende vereniging der beide geslachten beschouwt. „Wie de jaren, het geld en zin heeft," aldus ook Plinius, „hij neme een vrouw." Zin hebt gij wellicht. De jaren en het geld hebt gij niet. Noch op rijpheid van oordeel, noch op een vaste maatschappelijke positie kunt gij bogen. Hoe durft gij dan in dezen toestand het oog te slaan op dat deel van het menselijk geslacht, door Cicero zo treffend „de zandbank der wetenschappen" genoemd?"

Rector Boddens pauzeerde andermaal. Ik werd verteerd door wroeging en zelfverwijt. Heimelijk zag ik Annetje van Wiegen met haar stralende blauwe ogen, en de twee vlechten met rode strikjes die op haar rug dansten. Ik had tot dusver nooit in haar een zandbank der wetenschappen vermoed. Het viel mij bitter van haar tegen.

Rector Boddens intussen, begon kennelijk aanstalten te maken voor een schitterend einde. Hij zette zijn bril af, leunde over den catheder naar voren en geleek in die houding op een groot schip, dat op het punt staat triomfantelijk de haven binnen te varen. En hij voer de haven binnen, met volle zeilen, de vlag in top, en onder donderend gejuich van allen die op den wal stonden. En toen hij bescheiden glimlachend in zijn zetel plaats nam, gevoelde ik duidelijk, dat deze man eigenlijk te groot was om bedankt te worden.

Niettemin stapte er een jongen naar voren met een onwaarschijnlijk witten boord, die uit naam van alle leerlingen begon te stotteren. Zoals bij al dergelijke gelegenheden werd het doodstil in de zaal, waarop de jongen tot ieders ontzetting om zijn moeder begon te roepen. Doch rector Boddens redde de situatie door zichtbaar bewogen op te staan en voor de warme woorden te danken.

En zo trok ieder tevreden naar huis.

NEGENDE HOOFDSTUK

EERSTE ONTMOETING MET DEN HEER ROB DELSING *)

HET was de gewoonte dat de grote redevoering dienzelfden avond nog werd afgedrukt in „De Dordtsche Bazuin," en den volgenden ochtend ter verdere stichting naast de schooldeur werd opgehangen in het „Plakkaten-kastje".

Juist had ik, op mijn tenen staande, de bovenste regels ontcijferd, toen achter mij een genoeglijk gegichel weerklonk.

„Hi, hi," sprak een stem, „de Ouwe is weer bezig geweest, hij is weer bezig geweest!"

Ik keek voorzichtig achterom en staarde tegen een rij vestknoopjes; deze opwaarts volgend zag ik twee vrolijke blauwe ogen, die langs de regels van het „Groot Plakkaat" vlogen met een snelheid en een ingehouden pret, die ik mij niet kon verklaren. Telkens slaakte het lange heerschap kreten als „Ha, die is goed!" of „die zal ik aan Annie vertellen," of „wat zal ze lachen," en meer dergelijke uitroepen; tenslotte bij den ondersten regel aangekomen, zag hij mijn opgeheven gezicht.

„Zeg jij, schavuit," riep hij toornig, mij tussen de schouders grijpend, „moet jij Rob Delsing beluisteren? Hè, klein mispuntje, moet jij Rob –"

„Ik beluisterde U niet, meneer," riep ik angstig, pogend mij los te wringen, „ik stond hier en toen kwam U eraan."

„Zo," hernam Delsing (want hij was het en niemand

*) Rob Delsing: de grote vrouwenkenner der Latijnse School.

anders) „zo.” Hij verslapte zijn greep en keek mij wantrouwend aan. „Wat zei ik zoëven?”
„U zei: wat zal Annie lachen.”
„Zo,” sprak Delsing, mij strak aanziende, „en wie denk je dat Annie is?”
„Ik weet het niet, meneer. Het is – het is misschien uw zuster.”
„Juist,” hernam Delsing, en zijn gelaat ontspande zich, „juist. Het *is* namelijk mijn zuster. Je bent een pienter kereltje. Hoe heet je?”
„Pieter Bas, meneer.”
„Ha, je bent een van de Bassertjes van het Muntplein. Zo Basje. Je hebt aardige zusters. Ik mag jou ook wel.”
„Dank U, meneer.”
„Ja. Wie vind je aardiger, Pauline of Johanna?”
„Ik vind ze geen van tweeën erg aardig, meneer.”
„Zo,” hernam Delsing lachend, „dat is wat.” Hij riep een anderen meneer, Scheffer genaamd, en zij beiden schepten groot behagen in mijn antwoord.
„Kleine Bas,” zeide Delsing tenslotte, „ik heb een andere opinie over deze zaak. Ik meen ook dat meneer Scheffer je mening niet kan delen.”
Zij lachten beiden uitbundig.
„Maar dat is geen beletsel,” sprak Delsing, „om je een aardig, oprecht kereltje te vinden. Ik mag je wel. Als iemand je in deze dagen lastig valt, dan zeg je: Rob Delsing mag mij wel.”
„Jawel, meneer.”
„En als dat niet helpt, zal ik het hem zelf vertellen.”
„Jawel, meneer, dank U.”
„Goed. Je kunt nu wel doorgaan. Alleen, zeg tegen je zuster Pauline, dat –”
Hier keek hij twijfelachtig.
„ – dat ze een aardig mondje heeft,” stelde de heer Scheffer voor.

„Juist," hernam Delsing, „dat ze een aardig mondje heeft. Pars pro toto, zou de Ouwe zeggen. Dus, meer niet: complimenten van Rob Delsing, en dat je een aardig mondje hebt. Zo, en niet anders. En haal het niet in je hoofd, kleine Bas, om er iets aan toe te voegen, want ik zou je zo plat slaan als een cent. Je kunt nu wel gaan. Tot morgen."
Ik bracht dien dag in de opperste gelukzaligheid door. Wat kon mij overkomen? De grote Delsing stond achter mij; hij had mij niet alleen goeden dag gezegd, hij had zelfs een gesprek met mij aangeknoopt. Hij had gezegd „ik mag je wel". Ja, dat had hij gezegd, dat waren zijn eigen woorden. 's Avonds in bed vertelde ik het aan Jozef, die mij ongelovig aanstaarde.
„Heeft Rob Delsing dat werkelijk gezegd? zei hij: je bevalt me en je kunt op me –"
„Ja, dat zei hij."
„Nou," sprak Jozef, met een plechtigen slag op het kussen, „daar sta ik bij stil. Je mag van geluk spreken."
Tot mijn grote verbazing waren mijn beide zusters niet zo onverdeeld in hun bewondering. Ik was reeds halverwege in slaap gevallen toen ik, aan de boodschap van Delsing denkend, klaar wakker schoot. Onverwijld stapte ik het bed uit, liep tastend de trap af (zij sliepen samen beneden) en klopte op hun deur.
„Pauline!"
Zij stak haar hoofd om de kier, en keek mij vragend aan.
„Pauline, de complimenten van Rob Delsing (zij begon te gillen) en je hebt een aardig mondje (vreselijk gegil). Dat moest ik zeggen." De deur werd dichtgesmeten en ik hoorde ze beiden fluisteren, lachen en gillen. Toen zei, na enige stilte, de stem van Johanna:
„Pieter! Kom eens binnen."
Zij zaten beiden rechtop in bed, de blaker tussen hen,

in een mal, wit hemd en hun krullen in een soort papiertjes gedraaid. Ik had mijn zusters nog nooit zo lelijk gezien, ze mochten blij wezen dat Delsing hier niet was.
„Pieter," zei Pauline vleiend, „zeg het nog eens."
Ik zei het. Pauline drukte haar hoofd in het kussen, schudde haar papieren krullen, kroop toen tot mijn diepe verbazing onder de dekens, en riep van daaruit dat ik weg moest gaan, weg.
Jozef was nog wakker toen ik ontdaan over hem heen stapte. Ik vertelde hem alles, en wij besloten tenslotte dat een vrouw, die op een zo vererende verklaring van een man als Rob Delsing niets anders weet te doen dan onder de dekens te kruipen en te gillen, dat zo iemand maar moest hebben wat erbij staat. Zulk een vrouw, aldus Jozef, kon niet anders genoemd worden dan een over het paard getild kuiken. Rob Delsing kon er aan elken vinger twee krijgen: indien de geruchten juist bleken, had hij dat inderdaad ook. Zo iemand moest anders behandeld worden. Zo iemand was geen kleine jongen. Indien zij, in plaats van als een normaal mens te antwoorden, onder de dekens kroop, was dit een dubbele schande: voor haar zelf en voor dengene, die zulk een vernederend bericht moest overbrengen. Het was een akelige geschiedenis. Ik wist werkelijk niet wat ik aan Delsing moest antwoorden. Want natuurlijk zou hij naar mij uitkijken.
Ik besloot daarom den volgenden ochtend om dicht langs de huizen te blijven lopen. Doch nauwelijks was ik in zicht van het schoolgebouw of ik voelde mij bij de schouders gegrepen.
„Ha, de kleine Bas! Kom eens mee!"
Ik werd naar een hoekje getrokken, waar ook enige andere meneren stonden.

„En?” vroeg Rob Delsing, mij gespannen aanziende, „wat zei ze?”
„Ze zei niets.”
Allen lachten.
„Dat is niet veel,” zeide Delsing, met een poging om luchthartig te zijn.
Ik schetste hem den loop der gebeurtenissen.
„Hm,” – hernam Delsing ernstig, „haar houding is zonderling, maar niet afwijzend. Wat is jouw mening, Scheffer?”
„Dezelfde,” antwoordde deze.
„Je hebt toch gezegd dat het Rob Delsing was?”
„Jawel, meneer.”
„Dat zal haar in de war gebracht hebben,” hernam Delsing, hierover nadenkend, „je kunt van een meisje niet verlangen, dat ze meteen haar positieven bij elkaar heeft. Dat hebben ze trouwens nooit. Je kunt haar deze bloem geven. Zal ik er nog iets bij laten zeggen, Ed?”
„Hm,” antwoordde Scheffer (die, naar mij later bleek, eveneens een kenner van het vrouwelijk hart was), „het is een moeilijk geval. Het beste lijkt me: complimenten van Rob Delsing en gelijk deze bloem ontluikt, zo ontluikt ook zijn hart.”
„Zou dat duidelijk genoeg wezen, Ed?” hernam Delsing twijfelend, „is het wel *ad rem*!”
„Wat bedoel je?” vroeg Scheffer kort.
„Ik meen: geeft dit den stand van zaken helder weer?”
„Mijn opinie werd gevraagd,” antwoordde Scheffer kort, „ik heb die gegeven. Ik dwing niemand. Je gaat je gang maar, Delsing; je hoeft niemands raad te volgen, ook niet van iemand die – enfin, je doet maar –”
„Het was maar een opkomende gedachte, Ed,” sprak

Delsing snel, „de raad is uitstekend. Goed, Basje, dag Basje. Doe 'm in je binnenzak."
Hij knikte mij welwillend toe. Ik huppelde den ingang binnen, alles was opeens zo blij en vreugdevol geworden, zo geheel en al vertrouwd! Wat kon mij overkomen? De grote Delsing stond achter mij.

TIENDE HOOFDSTUK

ENE POGING OM ROB DELSING MET DE PEN TE BENADEREN

DE school van Boddens! Ontzagwekkend woord! Doch hoe verheven dit instituut ook zijn moge in mijn herinnering, zonder den naam Delsing – neen, het zou dien glans niet hebben.

Rob Delsing! Hoe moet ik het aanleggen uw heerlijk beeld te schilderen, zó, als ik U toen zag, en zoals wij allen U toen zagen?

Laten wij van onder aanvangen. Gewoonlijk droeg hij slobkousen, van een kleur, die hijzelf doorgaans „poepjesbruin" noemde. Somtijds echter waren zijn benen in open kaplaarzen gestoken, dan weer gehuld in een lange Zwitserse broek. Rob Delsing zien betekende eigenlijk immer een verrassing, mede door de ongeëvenaarde nonchalance van zijn verschijning. De knopen van zijn vest waren nooit allen gesloten, evenmin als zijn hoed ooit geheel recht op zijn hoofd stond. Toch kòn men niet zeggen, dat Rob Delsing slordig gekleed was in den profanen zin waarin andere mensen dit wel zijn; de lichte wanorde, waarin hij immer verkeerde, scheen integendeel met ernst en zorg in stand gehouden, en zij verleende zijn verschijning den achtelozen luister van een man, die met niemand te maken heeft dan met zijn stallen, zijn golf-velden en zijn zes huisknechten.

Indien Rob Delsing inderdaad al deze zaken bezeten had, zou men hem bewondering verschuldigd zijn om de uitnemende wijze, waarop hij er gebruik van maakte. Maar nu hij de zoon was van den drogist Delsing om

den hoek, die al zeven jaar met het plan rondliep om zijn pui te verbreden, doch telkenmale dit voornemen als tè fantastisch verwierp, nu zagen wij Delsing als in een heilig licht.
Driemaal was hij plechtig in de aula door de jongens uitgeroepen als „primus inter pares" en den laatsten keer zelfs als „maior minorum" *), en men kan gerust zeggen, dat hij, op het moment dat ik aan mijn Vaders hand deze school betrad, op het toppunt van zijn glorie stond.
Delsing zat toen in de hoogste klas, droeg een lange broek met een frans vest, rookte pijpen en liet zijn bakkebaarden groeien. Hij sprak op dat moment den gymnastiek-leraar met „je" aan, en diende op Nieuwjaarsdag de requesten van de school in aan Rector en Leraren. En toen er een toneelstuk moest worden opgevoerd, maakte Delsing dit toneelstuk binnen den tijd van twee weken en nam bovendien nog drie rollen voor zijn rekening. En toen de Spaanse gezant de school

*) Wijl Zijne Excellentie hier iets als bekend veronderstelt, wat deze generatie niet weten kan, waag ik het deze plaats naar best vermogen toe te lichten. Inderdaad vond ik op het gemeentearchief van Dordrecht enige gegevens over de wijze waarop een en ander in zijn werk ging. Ook het tegenwoordige hoofd, den heer Pierewier, ben ik dank verschuldigd. Elk jaar dan kozen de leerlingen der Latijnse School een „primus inter pares" uit hun midden, elke klas de zijne. Die van de hoogste klas echter was tevens „maior minorum" over de hele school tezamen.
Deze laatste functie was de grootste eer, die iemand te beurt kon vallen, en de verheffing daartoe ging met enigen luister gepaard.
„*῾Εις κουρανος ᾿εστω!*" (één moet Heerser zijn!) riepen de jongens.
„*Εις βασιλευς!*" (één Koning!) antwoordde de uitverkorene, de hand plechtig opstekende.
Hierna vlogen driehonderd Duitse mutsen de hoogte in en ging er een donderend „vivat" op. Aldus bevestigden mij ook enige oude inwoners van Dordrecht. G. B.

Rob Delsing

---

een bezoek bracht, was het wederom Delsing, die den naam van het instituut tot in de sterren verhief door een half uur lang den gezant in het Spaans toe te spreken. Delsing was de oprichter van drie verenigingen, de cricket-club niet meegerekend. Hij kende het hele eerste boek van de Odyssee van buiten en een paar honderd verzen uit de Ilias. Hij had een gevestigde mening over de problemen van zijn tijd en noemde de bewindvoerende staatslieden van Europa bij hun voornamen. „Fritz doet aardig werk in Warschau,” zeide hij, wanneer koning Frederik van Bulgarije in die buurt een opstand had bedwongen; en wij waren minder geneigd dit als een aanmatiging van Delsing te beschouwen dan wel als een eer en erkenning voor koning Frederik.

Er zullen lezers zijn, die zeggen, dat ik Delsing te groot zie, dat door de jaren deze figuur haar oorspronkelijke proporties verloren heeft. Dikwijls, zo zullen zij opwerpen, is de tijd voor oude lieden een vergrootglas, en zij, die gewoon zijn er door heen te turen naar de jaren van hun jeugd, komen steevast tot de conclusie dat, daarbij vergeleken de dingen en mensen van nu óf betreurenswaardig óf belachelijk zijn. Ik heb hiertegen geen ander verweer dan een beroep op uw eigen ervaring. Er is, meen ik, geen enkele gemeenschap op aarde te vinden, hetzij een vereniging, hetzij een kostschool, hetzij een staat, of de leden daarvan zien in een hunner alle idealen verwezenlijkt die zij zelve heimelijk koesteren. Er zal er altijd één zijn, die door niemand te benaderen is, niet omdat hij in feite zo hoog staat, doch wijl de menselijke geest behoefte heeft het einddoel van eigen streven tastbaar voor ogen te hebben.

Daarom heb ik ook niet gezegd, dat Delsing inderdaad een genie *was* (hij stierf als een eerzaam apotheker, zonder de wereld meer geschonken te hebben dan drie jongetjes met sproeten), doch alleen dat wij hem zo zagen, hetgeen iets anders is.

Overigens waren wij niet blind voor de zwakheden, die hij inderdaad bezat en waarvan de meest in het oog lopende zeker was ene ongelofelijke vatbaarheid

voor de bekoorlijkheden van het andere geslacht. Er zijn kwaadsprekers, die beweren dat hier de eigenlijke basis voor onze latere vriendschap te zoeken is *) doch ik wijs deze verdachtmaking met beslistheid van de hand. Doch waar is het dat Rob Delsing de Don Juan van Dordrecht was. Er woonden nog slechts weinig meisjes in deze stad, die niet een portret van hem in een la hadden liggen en die niet openlijk verkondigden, dat Rob Delsing een onuitstaanbare jongen was, hetgeen door alle tijden een zeker teken van liefde geweest is.
Want wonderbaarlijk is de vrouw en men kan dit grootste geheim, dat God geschapen heeft, niet beter doorgronden dan door al hare uitingen in tegenovergestelden zin uit te leggen.
Een tweede manier om er achter te komen was, Rob Delsing te raadplegen. Hij stond bekend als een gevestigd vrouwenkenner (wat geen wonder mag heten) en een jongen, die de eerste schreden op het glibberige pad der liefde zette, kon geen veiliger hand grijpen dan die van Delsing.
Hij stond er echter op, dat men hem zijn hart volledig uitstortte en placht dan aandachtig te luisteren, de handen in zijn Zwitserse broekzakken, het hoofd peinzend gebogen en met zijn voet figuren makend in het zand.
„Goed," sprak hij dan tenslotte, „is dat alles?"
„Jawel, Rob."
Dan bleef hij wat fluiten tussen zijn tanden en stelde nog enkele vragen, aldus:
„Wanneer zag je haar voor het eerst?"
„Eergisteren, Rob, om kwart over acht."
„Was ze alleen?"

*) Zo ook Dr L. Simons: „Leven en Werken van Minister P. Bas", pag. 307–315.

„Neen, ze was met een vriendin.”
„Zo. En toen je den hoed afnam, wat deed ze toen?”
„Ze lachte.”
„Zo. Een kort lachje, wed ik, wat spottend?”
„Ja, precies.”
„Het is een brunette?”
„Nee Rob, ze is blond en haar ogen zijn blauw, grote blauwe ogen.”
„Wat zeg je? Blond? En je weet toch zeker van dat lachje?”
„Ja, heel zeker.”
„Kijk. Gecompliceerd type. Je hebt natuurlijk gekeken in welke deur ze verdween?”
„Ja. Van Wiegen stond er op.”
„Ach! Annetje van Wiegen! Zo. Ach, kijk Annetje, ja. Ja. Die kleine heks. Hm. Dat is niet zo makkelijk; scherp snaveltje. Ik zou zeggen: geen verdere avances. Breekbaar.”
„Dus wat moet ik nu doen, Rob?”
„Niets doen. Als je haar tegenkomt, hoed af. Verder basta.”
„Maar Rob –”
„Stil. De tweede week moet je opletten. Dan laat ze haar tas vallen. Voor zover ik Annetje van Wiegen ken, zal dit de tweede week zijn. Je bent er als de bliksem bij en raapt ’m op. Het is natuurlijk de bedoeling dat je dan wat zegt. Wees dan niet stom, maar heb je zin klaar. En heb ook een zin klaar voor het vermoedelijk antwoord, dat ze geeft. Het is maar de kwestie, dat je aan de praat blijft. Geen zware praat, maar iets waar ze bij kan. Neem dan afscheid van haar, vriendelijk, maar toch vrij onverschillig, alsof het je eigenlijk niet zo heel veel kan schelen.”
„Maar Rob!”
„Onthoud wat ik je zeg. Als je laat merken, dat je

gek op 'r bent en dat je eigenlijk op je benen staat te trillen, wordt het een kwestie van maanden. Een kort, vluchtig woord, dat is het beste."
„En dan?"
„Dan hou je je een tijdje achterbaks, een week of twee."
„Maar waarom in 's hemelsnaam?"
„Dat zul je merken, als je haar na dien tijd weer tegenkomt. Een vrouw houdt niet van appels, die ze met de hand kan plukken. Dat is de kwestie."
„En dan Rob?"
„Dan wordt het zo zoetjes aan tijd voor een cadeau. Begin in godsnaam niet met iets groots. Dat is duur en het kweekt maar eisen. Een flesje eau-de-cologne, een spiegeltje, of iets van dat gerei, dat is al knap genoeg."
„Jawel, Rob."
„Die dingen zijn nog aardig duur, maar je kunt er van mij wel wat krijgen, ik heb thuis nog een kast vol."
„Graag, dank je."
„Nou, dat zijn zo de hoofdlijnen. Als je het schip zover in de haven hebt, kom je het me maar eens zeggen, dan zullen we eens zien wat er nog gedaan moet worden. Maar denk eraan, wat ik je nou gezegd heb, is alleen als ze het niet op d'r zenuwen krijgt. Een vrouw kan ineens omdraaien, je weet niet hoe en waarom, maar dan is alle logica brandhout en kan je weer van voren af aan beginnen. Maar dat zullen we nou maar niet hopen, hè? Adieu, hou je goed."
En Delsing geeft zijn kort, ernstig knikje en wandelt het cricket-veld op.

Rob Delsing had dien graad van ontzagwekkendheid bereikt waarop men legendarisch wordt. De staaltjes,

die hij bijvoorbeeld tegenover den Fransen leraar uithaalde! Zei de Franse leraar op een dag:
„Delsing, je moet je bek houden!”
Delsing stond langzaam op (Frans Heiligenweg vertelde mij later, dat een koude rilling door hem heen ging) en antwoordde alleen maar dit:
„Ik zal je *nog* niet ’t raam uitgooien.”
Meer niet. Alleen maar die ene zin. Het was enorm. Of dat schitterend verhaal over de wijze waarop hij Piet Ooms aan een praktijk hielp. Piet Ooms was een heel aardige, verstrooide jongen, niets bijzonders. Plotseling vestigde hij zich als tandarts in de Parkstraat. De verbazing van Dordrecht was groot. Al wat benen had liep dien middag langs de deur van P. Ooms, tandarts, spreekuur van 1–2 n.m. Ja, het was zo, het viel niet te ontkennen, goud op zwart email. Bovendien was dat „n.m.” specifiek Ooms, als om te voorkomen, dat de mensen in het holst van den nacht kwamen opzetten.
Zoiets had dadelijk de sympathie van Delsing. Hij vond het „een verdraaid goeie” en hij was benieuwd wat ervan kwam. Dat was intussen niet veel. Of eigenlijk helemaal niets. Geen sterveling kwam op het idee P. Ooms te raadplegen, noch voor- noch zelfs namiddags. Het gerucht ging dat hij in het geheel geen examen had gedaan, doch zijn kennis geput had uit een boekje over tanden en kiezen, getiteld: „Hoe leer ik trekken in 6 dagen”. Smeets beweerde bij hoog en laag, dat het nog een tweedehands boekje geweest was ook, maar wij konden geen van allen het belang van deze mededeling inzien. Wel scheen hij een hele voorraad tangen te hebben ingeslagen; dezelfde Smeets had hem ze zien uitzoeken op de oud-ijzermarkt van Rotterdam.
Dergelijke berichten waren niet zeer geschikt den toe-

loop aan te wakkeren. Toen toog de oude pastoor Zoetmulder, gedreven door louter medelijden, naar P. Ooms, tandarts, en stelde zich kloekmoedig onder behandeling. Volgens den grijzen herder moet P. Ooms alleen maar gevraagd hebben:

„Doet U uw mond eens wijd open, pastoor," en toen de oude man hieraan argeloos gehoor gaf, vloog de enige gezonde kies door het vertrek.

Heel Dordrecht was verontwaardigd over dit voorval, behalve Rob Delsing: „Als je niets dan tangen hebt," aldus Delsing, „kun je al niet meer doen."

Na pastoor Zoetmulder kwam er een helen tijd niets. Toen begon de naaste familie van Ooms zich op te offeren. Eerst liet zijn bejaarde vader alles uit zijn mond halen, wat maar enigszins te verwikken was. Daarop volgden zijn twee zusters en een tante. Men hoorde de kreten tot aan de Wijnhaven.

Delsing begon nu voor Ooms een recht hartelijke toegenegenheid te voelen. Hij vond het ronduit een originelen vent en „we moesten 'm allemaal helpen". En uit zijn schitterend brein ontsproot het volgende plan: Deurnemans, Brielle, Scheffer, Grubbeling en nog een paar anderen zouden zich verkleden als heren van middelbaren leeftijd en verder den helen dag niets anders doen dan in zak en as bij Ooms binnen strompelen, om met een onbekommerden glimlach weder op straat te verschijnen. Onderwijl zou Delsing met een stuk of twaalf lieden de wachtkamer bezetten.

Aldus geschiedde.

De verrassing in Dordrecht was wederom groot.

„Christeneziele," zei mijn Moeder bij het ontbijt, „heb je het gehoord, Jan?"

„Wat gehoord?" vroeg mijn Vader afwezig.

„De nieuwe tandarts op de Parkstraat, hoe heet ie ook weer?"

„Je bedoelt dien knoeier, Ooms?"
„Het kan zijn, dat hij een knoeier is." antwoordde mijn Moeder met nadruk, „maar hij heeft het druk als geen ander! Het zit stampvol bij 'm in de wachtkamer en zijn meid heeft maar werk, dat ze de deur open en dicht doet."
En zo was het. Het duurde nochtans lang genoeg voor de eerste burger van Dordrecht zijn wantrouwen overwon en bij P. Ooms aanschelde. Het was Blitzhouwer, een bakker. In de wachtkamer vond hij twaalf mensen, zorgvuldig door Delsing gerangschikt, terwijl deze zelf, met een groot verband om zijn hoofd bij het raam zat.
„Heren!" sprak Blitzhouwer, en ging zitten.
Lange stilte.
Tenslotte sprak bakker Blitzhouwer, met die eigenaardige behoefte van een mens, die pijn heeft, om wat „aanspraak" te hebben:
„'t Is vol, zou ik zo zeggen, hè?"
„Geen wonder," antwoordde Delsing, zijn verband losmakend, „U moogt blij wezen dat er nog een stoeltje is. Het is hier wel drukker geweest. Alle donders."

Delsing zweeg, blijkbaar overweldigd door de herinnering aan *die* dagen.
„Ja, dat heb ik gehoord," hernam de bakker, „'t moet den laatsten tijd bij Ooms een drukke beweging zijn. Maar van den anderen kant hoor je weer zoveel rare dingen..."
„Van wie?" vroeg Delsing, het hoofd snel oprichtend.
„Wel van Ooms."
– „Van dèzen man? Kom," sprak Delsing, „weest U wijzer, dat is allemaal broodnijd. Denkt U, dat ze een onbetekenend man als Brink ooit zullen belasteren? Denkt U, dat ze van een Smit, een Hoetink, een

Stappers of een Beukelaar *) ooit zullen zeggen: die deugt niet, die weet geen tand van een kies te onderscheiden? Welneen. Die mensen zijn ongevaarlijk. Maar Ooms, dáár schuilt het gevaar! *Ooms* is in staat alle tandartsen boven en onder den Moerdijk brodeloos te stellen. *Ooms* moet dus belasterd, benadeeld en genekt worden. Ha, meneer!"

„Ja, dat is wel zo, natuurlijk, maar toch," sprak de bakker, „'t zijn hardnekkige geruchten, ziet U. Weet U van dat trekken?"

„Wat trekken?" vroeg Delsing.

„Nou, dat Ooms alleen maar trekken kan?"

Op een teken van Delsing barstten alle twaalf Heren in een smakelijk gelach uit.

„Ik vind het een onbetaalbare grap, meneer," hernam Delsing tenslotte, „en dan te weten, dat Ooms eigenlijk alles en alles kan! Als U wilt, kunt U morgen een gebit van mahoniehout krijgen, de vent speelt de gekste dingen klaar! Hier, meneer," Delsing opende zijn mond en tikte op zijn prachtige helderwitte tanden, „weet U wat hier verleden week zat?"

„Neen?"

„Niets," sprak Delsing, „drie bruine stompjes en verder geen spat, geen knal, *niets*. Wat zegt U daarvan?"

„Dat is ongelofelijk," riep de bakker, de handen ineenslaand.

„En het gekste is," hernam Delsing, „ik voelde geen zier. Doet uw mond eens open, zegt die kerel. Ik sluit mijn ogen en wacht. En zo zat ik vijf minuten. Tenslotte zeg ik: Hoor eens dokter, alles goed en wel, maar ik ben hier niet gekomen om met open mond te wachten, dat gaat op mijn zenuwen werken. En wat antwoordt die duivelse vent? Doe 'm dan maar

*) Delsing noemde hier de beste tandartsen uit Dordrecht.

weer dicht, meneer, 't is gebeurd. En ik kijk, en al mijn tanden liggen in het spuugbakje."
„Dat is kras," sprak de bakker ontzet, „dat is heel kras. Dat lijkt wel toverij!"
„Dat dacht ik ook," hernam Delsing, in zijn zak tastend, „maar kijkt u eens hier, meneer."
De drie „stompjes" lagen op tafel, aldus alle tegenspraak in de kiem smorend. Hierop begon Beukelaar een nog krasser staaltje. Toen vertelde Deurnemans *zijn* geschiedenis. En onderwijl werden de patiënten de een na den ander weggeroepen, totdat de enige toeschouwer van dit schitterend stukje toneel alleen in de kamer achterbleef, zonder enige andere gevoelens dan die van blijde verwachting.
„Aan U de beurt, meneer," sprak tenslotte Ooms, om den hoek van de deur. Nu naderde het zwakke punt in de regie van Delsing. Want Ooms kon deze reuzenarbeid met één verkeerden ruk ongedaan maken. Het waren ogenblikken van grote spanning; Delsing met de zijnen lagen op den vloer van het bovenvertrek, met het oor plat op den grond, luisterend naar enig gerucht. Inderdaad hoorden zij een zwakke kreet, en toen een helen tijd niets. Daarna kwam Ooms met den bakker de gang in, hielp hem in zijn jas en sloeg de deur achter hem dicht.
„En?!"
„In orde," riep Ooms, stralend van geluk, „het was een losse snijtand aan den bovenkant die hem pijn deed, het ding was al half vergaan, met een klein rukje had ik 'm er uit, Potztauzend! De glazen!"
En het werd een groots festijn in de wachtkamer. Vier flessen wijn en een oude Biskayer lieten het leven, ter wille van de gezondheid van Delsing en op de nieuwe praktijk van Ooms. En onderwijl vertelde de bakker het aan de andere bakkers en deze bakkers ver-

telden het aan hun vrouwen en hierop was het nieuws in Dordrecht bekend. En P. Ooms kreeg een praktijk, dat hij inderdaad wel een spreekuur v.m. kon gebruiken. Wel vergiste hij zich enige malen, doch wat de studie hem niet gegeven had, schonk hem de gewoonte. En hij werd een handig tandarts, een gezeten burger, een goed echtgenoot, een gelukkig vader, en eindelijk zelfs lid van den Raad.

ELFDE HOOFDSTUK

BEKENTENISSEN

LANGZAMERHAND bereikte ik mijn 17e jaar. Ik schoor mij driemaal in de week (hoewel eenmaal ruim voldoende was) en liet mij terstond inschrijven als lid van Arti et Amicitiae; ik woonde lezingen bij en was het bij de rondvraag constant oneens met den spreker (bij die gelegenheid eenmaal uitroepend: „U

liegt, meneer!" waarop ik de zaal werd uitgezet); ik liet mijn haar groeien op de wijze van sommige Russische vioolspelers, tot groot vermaak van de stad Dordrecht en omliggende gemeenten. Ik sprak met een lage stem over Immanuël Kant (in een vaag vermoeden dat het een Frans romanschrijver was) in dezer voege: „Kant kletst. Hij bedondert de boel. De kwestie zit eigenlijk zo. De zaak is zo simpel als een knikker," aldus schrik en eerbied verspreidend onder de burgers. De wijsgerige stelsels die de mensen vóór de geboorte van Pieter Bas hadden uitgedacht, werden op een Woensdagmiddag welwillend bekeken en weggeworpen. Het was een kwestie van standpunt. De zaken werden gewoonlijk vanuit het verkeerde standpunt beschouwd. Kies het goede standpunt en de zaak is in orde. Welk dit standpunt was, herinner ik mij niet meer; wel weet ik dat de wereld er vanuit dat punt bijzonder simpel en voldoening gevend uitzag. Ik kreeg 'n boek van een zekeren Thomas Hobbens in handen, worstelde het door en vestigde mijn naam als filosoof. Ik sprak over de elementen van het onderbewustzijn en het Verbindend Principe (zonder overigens enig flauw besef waar deze wezens vertoefden) met een gemak dat in hoge mate imponeerde. Geen sterker wapen dan een vreemd woord. Stel dat de heer Lohmeijer U aanvalt op „Arti et Amicitiae" dan zegt ge eenvoudig:
„Goed. Ik waardeer de bedoelingen van den heer Lohmeijer. Maar heeft de heer Lohmeijer (hier glimlacht ge), heeft de heer Lohmeijer wel aan het Verbindend Principe gedacht?"
Wat kan de heer Lohmeijer anders antwoorden dan dat hij de zaak uit dien gezichtshoek nog niet bekeken heeft?
„Ah juist!" zegt ge (met een fijnen glimlach) en gaat zitten.

De heer Lohmeijer is vernietigd, zonder enige inspanning uwerzijds.
En ja, behoef ik het nog te vermelden? Ik geraakte verliefd. Het droevig relaas mijner herhaalde omdolingen op de paden der liefde vormen zeker de meest beschamende bladzijden uit dit boek. Ware ik niet zulk een verknochte dienaar der waarheid, ware ik niet vastbesloten in deze bladzijden niets weg te laten wat wel, en niets toe te voegen wat niet is gebeurd, het zou U nimmer ter orde zijn gekomen.
Doch het besluit is gemaakt, wat de gevolgen ook zijn. De ene helft mijner lezers mag het boek vol walging ter zijde leggen, de andere vol schamper leedvermaak de lezing vervolgen. ik ga door. Men moge zich afvragen aan welken lichtzinnigen schavuit het vaderland gedurende vijf jaar de opvoeding der Jeugd, de beoefening der Wetenschap en de behartiging der Kunsten heeft toevertrouwd, nogmaals, ik ga door. Ik geraakte dan verliefd. Het was geen gewoon meisje. Zij geleek in niets op de babbelachtige, gillende schepsels, die ik tot nu toe gezien had. Afgronden van zielediepte schenen mij achter haar glanzende ogen verborgen: ik schreef in het geheim gedichten, waarin ik mijzelf met een nietswaardigen ellendeling vergeleek die niet waardig was den schoenriem van haar dienstmaagd te ontbinden (om niet te spreken van haar eigen schoenriem). Dat mijn hart een oven was, in stilte brandende. Dat ik mijn leven voor haar veil had. Als zij wenste dat ik mij zou doden, dan zou ik mij doden. Als zij liever wenste dat ik nog wat bleef leven, welaan, ik zou dit ellendig bestaan rekken. Dat de pen, waarmede ik deze armzalige gedachten neerschreef, in mijn hartebloed gedoopt was. Dat ik het niet waagde mijn blik naar haar te heffen, noch zelfs haar aan te spreken. Dit laatste was zeker waar.

„Ik wed," zeide juffrouw Fles, mij schalks aanziende, „ik wed dat U – nou laat r's kijken – dat u Paul Breman heet."
Het gezelschap barstte in lachen uit om mij gunstig te stemmen en tot een bekentenis te verleiden. Doch ik bepaalde mij er toe te verklaren dat juffrouw Fles mis geraden had.
„Nou," zei toen een juffrouw die tot nu toe niets gezegd had, „ik wed, nou, wil ik 's wedden?"
„Ja! ja!" riepen allen.
„Laat 's kijken," sprak de juffrouw, een oog dicht knijpend en met het andere mij gespannen aanziend. „U heet Pieter."
Ik trachtte onverschillig te kijken en niet te kleuren, doch ik voelde een diepe blos tot aan mijn oren opkomen. Er ging een luid gejuich op.
„Kom, jongeheer," sprak juffrouw Fles overredend, mij door de haren strijkend, „zeg U maar dat U Pieter heet."
„Jawel, juffrouw Fles."
„'t Is niks hoor," zei de dikke juffrouw bemoedigend, „me neef heet ook zo. D'r heten d'r zo veel zo. 't Is niks geen schande."
„Niks niet," sprak de man die Arie heette.
„Me eigen zwager heet Pieter," zei juffrouw Fles, bij wijze van afdoend argument.
Hierna begon een van de kindertjes te huilen; daar ik veel van kleine kinderen houd en ik het verdrietig vind wanneer zij bedroefd zijn, bukte ik mij en nam het op de knieën. Juffrouw Determeyer lichtte mij nu zachtjes in dat ik een van de vernuftigste kinderen op mijn schoot had. Zij zeide dit niet omdat het haar kind was (want dit zou partijdigheid zijn), zij zeide dit alleen omdat de hele buurt het zei. In het begin had zij het zelf niet willen geloven, doch de bewijzen werden te

Juffrouw Determeyer

groot. Als zij er aan dacht wat dit kind later al niet kon worden, begon zij wel eens te beven, dan kon zij er subiet niet van slapen. Dokter van der Brekke had gezegd: dat kind, dat is een wonderkind. Zij wilde er nu niet inkomen of dokter van der Brekke gelijk had, zij wilde alleen maar opmerken dat dokter van der Brekke zijn ogen ook niet in zijn gat had zitten. Als om dit alles nog eens te onderstrepen begon het kind plotseling duidelijk in zijn broek te doen. In het begin twijfelde ik nog, doch na enigen tijd viel het niet meer te ontkennen. Ik vind zulke dingen altijd zo moeilijk. Zegt ge: „Het kind is niet zindelijk" (of welke uitdrukking daarvoor bestaat) dan bederft ge den vreugdevollen trots van de moeder. Zegt ge niets, dat bederft ge uw broek. Ik koos het eerste, en had er onmiddellijk spijt van. Hoe klein en zelfzuchtig is toch de mens om een geestelijk goed aan een stoffelijk op te offeren! Juffrouw Determeyer sprak den helen avond verder geen woord meer. Ik had er spijt over, en heb het nog.

Het werd nu tijd bevonden „de rooie kamer" te gaan zien en er mijn mening over uit te spreken. Het was werkelijk een heel mooie kamer; misschien als ik hem nu terug zou zien, zou ik er hartelijk om lachen, doch dat doet aan de waarheid niets af dat ik het tóen een buitengewone kamer vond. Er was een grote tafel, die ik uit kon slaan (als ik dat wou), er waren drie blauwe stoelen, er was een echt Indisch tafeltje door den zwager van juffrouw Fles uit de Oost meegebracht (de zwager was nu dood, maar zijn twee dochters stonden in de grote hoedenzaak van Lippits), er was een buffetje om likeur in te zetten, er was een grote leunstoel waar men in kon zitten (als men dat wou) en er was een grote, rode canapé waar men beter deed *niet* in te gaan zitten, want dan ging men er subiet doorheen. Na mij aldus met de gemakken en de gevaren van het vertrek in kennis gesteld te hebben, ontstak Juffrouw Fles drie kaarsen in de kaarsenkroon en verdween met een bemoedigend knikje.

Ik ging nu beurtelings op een van de blauwe stoelen

zitten, teneinde mij te vergewissen van welk punt uit de kamer het voordeligste aanzicht had en kwam tot de bevinding dat de stoel bij den schoorsteenmantel wat dat betreft het best gelegen was. Dus zette ik mij daarop en keek rond in de duister wordende kamer. Naast mij brandde een klein potkacheltje en wierp een roden cirkel licht over het vloerkleed: het was zo gezellig te bedenken dat dit alles nu voortaan voor mij was en dat het buiten regende en dat het daar akelig en koud was. Hoe laat zou het nu wezen? Ik keek naar het klokje op den schoorsteen. Het stond stil. Hoe lang zou het nu al stil gestaan hebben? Misschien wel een jaar. Het had misschien al onder den vorigen student stil gestaan. Ik had het idee dat de vorige student een stille, bedaarde jongen moest geweest zijn, het leek mij moeilijk iets anders te zijn in deze kamer. 's Ochtends om zeven uur was hij zeker opgestaan, rustig en bedaard, zonder veel lawaai te maken. Dan kleedde hij zich aan, schoor zich en ging zitten bij het linker raam om zich enkele uren in de studie te verdiepen. Dan zou hij bellen en om thee vragen met brood. Dit at hij op, terwijl zijn blik rustte op het gewoel van de Breestraat. Dan zou hij zijn jas aantrekken om enige colleges in het Burgerlijk Recht bij te wonen. Des middags terug gekomen zou hij zijn jas weder aan het haakje hangen en zich aan het Indisch tafeltje zetten teneinde de vluchtig gemaakte notities tot een volledig dictaat om te werken. Het eenvoudig avondmaal gebruikte hij waarschijnlijk onder de kaarsenkroon, somtijds alleen, somtijds in het gezelschap van een ernstigen vriend, met wien hij van gedachten wisselde over het Britse Strafrecht. Des avonds zou hij zich ontspannen in Moddermans „Beschouwingen over het Romeinsche Recht, haar Groei en haar Beteekenis". Om tien uur zou hij zijn dictaten voor den volgenden dag ordenen, het licht uitblazen en in bed stappen. Ik begreep natuurlijk heel wel dat men in den examentijd harder moest aanpakken, maar over het geheel genomen scheen dit mij een passende gedragslijn, dien ik mij vast voornam te volgen.

Juffrouw Fles kwam binnen met een bord soep, enige gebakken aardappelen, een bal gehakt, en een gespikkelden pudding. En terwijl ik dit alles met graagte opat, ging zij op een der stoelen zitten en keek mij een tijdlang zwijgend aan.

„Och Here!" sprak zij tenslotte.

„Wat is er, juffrouw Fles?" vroeg ik verschrikt.

„Ik vind U zo'n aardige jongeheer," antwoordde juffrouw Fles, het hoofd schuddend, „een echt lieve jongeheer."

Ik wist niet goed wat hierop te zeggen.

„Weet U op wie U lijkt?" hernam zij, na weer een tijd stilte.

Ik wist het niet.

„U lijkt op mijn zwager," hernam juffrouw Fles, „die heette ook Pieter. Och Here."

„Is dat uw zwager, juffrouw Fles?" vroeg ik doelend op een bars uitzienden heer in olieverf vlak tegenover mij.

„Krek," sprak juffrouw Fles, zich omkerend en het portret een tijdlang zwijgend beschouwend, „dat is 'm maar dat was vlak voor z'n dood. Het was een groot kreng."

„Wat zegt U, juffrouw Fles?"

„Het was een groot kreng," herhaalde juffrouw Fles beslist, „en hij barstte van 't geld. Maar we hebben niet dàt gezien. Hoe vindt *U* dat nou, meneer Pieter?"

Ik zeide dat ik het niet aardig vond.

„Niet aardig?" herhaalde juffrouw Fles, „'t is 'n schan-

daal, dat is 't. Weet U wat ze in z'n matras vonden?"
Ik wist het niet.
„Twaalf briefjes van duizend en vijf rijksdaalders."
Dit was toch in elk geval een gelukkige vondst, meende ik.
„Och Here," hernam juffrouw Fles, het hoofd schuddend, „d'r moet veel meer geweest zijn. Ze zeggen dat ie wel – nou, laat ik 't maar niet zeggen." Zij wachtte even in de hoop dat ik zou aandringen, doch toen ik hiertoe geen aanstalten maakte, ging zij over op een ander onderwerp.
„En hoe voelt U U nou, meneer Pieter?"
„Ik voel me heel best, juffrouw Fles," zeide ik, en dat was ook zo.
Zij keek mij weder langen tijd zwijgend aan en kwam toen een stoel dichter naar mij toe.
„Ik zal als een moeder voor U zorgen," verklaarde zij hartelijk, „als U iets hebt of als er iets is, 't komp 'r niet op an wat, dan gaat U maar naar mij toe, dan zeg U: juffrouw Fles, ik heb iets, of d'r is iets, al naargelang."
„Dank U wel, juffrouw Fles."
„En denk U niet: dat zal juffrouw Fles niet begrijpen, of dat zal juffrouw Fles niet weten, ik weet me weetje, ik ben twaalf jaren weduwe geweest en d'r valt niet dàt op me te zegge –"
Hierop barstte zij tot mijn groten schrik in tranen uit.
„En al die tijd knap voor de dag gekomme," snikte juffrouw Fles, „altijd alles netjes en ordentelijk, nooit niet anders dan keurig en fatsoendelijk, de mensen zeien wel eens: hoe die juffrouw Fles dat klaarspeelt, maar dat mens komp altijd de straat op, je begrijpt 't bij God niet." En hierop begon zij bitter te wenen.
„Maar daar hoeft U toch niet om te huilen, juffrouw

Fles," zei ik verschrikt, „dat is juist een reden om blij te zijn, zou ik zeggen."
„U is een lieve jongeheer," sprak juffrouw Fles, haar tranen afdrogend en mij pardoes een zoen gevend. Hierop ruimde zij haastig de tafel op, zonder dat wij verder nog iets zeiden want wij waren beiden wel wat in de war over dien zoen.
Maar toen ik dien nacht in bed lag en in het duister naar de zoldering staarde, prees ik mijzelf gelukkig en sliep onbekommerd in.

DERTIENDE HOOFDSTUK

ENIGE GEGEVENS OMTRENT HET CANDIDAATS-EXAMEN VAN PIETER BAS

OP 2 Mei van het jaar 1870, des avonds om zeven uur, stond P. F. Jansen, postbode te Leiden, met een gele enveloppe in de hand op het trottoir van de Breestraat en keek in de geopende deur van nummer 37.
„Ben ik hier terecht?" schreeuwde hij.
„Maar lieve man," riep juffrouw Fles met schelle stem vanuit het keukentje, „hoe weet *ik* of *jij* terecht ben? Wie mot je hebben?"
„Bas," antwoordde de man plechtig, „Pieter Bas, nummer 37, Breestraat."
„Dat is me commesaal," zei juffrouw Fles, „gooi maar in de bus, post."
Aldus deed P. F. Jansen; hij wierp de gele enveloppe

met een gracieus gebaar in de gleuf en vervolgde zingend zijn weg.
Gelukkig de onwetende!

* * *

Om half acht kwam ik van de Sociëteit, stak den sleutel in het slot en riep oudergewoonte:
„Juffrouw Fles!”
„Present, jongeheer Bas!” riep juffrouw Fles, eveneens oudergewoonte, „het eten staat op uw kamer en d'r is een brief gekomme, die heb ik op het tafeltje geleid.”
Ik was reeds halverwege de trap, toen mij plotseling een vreselijke gedachte te binnen schoot.
„Juffrouw Fles!” riep ik angstig, „was het een gele enveloppe?”
„Krek, meneer Pieter!” riep juffrouw Fles, „krek! Zo geel als boter!”
Ik luisterde niet verder, snelde naar boven, en vond den brief op het tafeltje. Met dat laatste restje hoop, dat ons nog altijd in de benardste ogenblikken bijblijft, scheurde ik den omslag...

Lieve lezers, op dit ogenblik voeg ik mij bij U. Laat ons een weinig terzijde treden. Wij zien Pieter Bas verbleken; wij zien hoe hij het papier in de vuist krampachtig samenknijpt, het koortsachtig weder ontvouwt. Andermaal snelt zijn verwilderd oog langs de regelen. Laat ons een blik over zijn schouder werpen:

Facultas Juridica
Universititatis Lugd. Bataborum.

WelEdelgeboren Heer!

In antwoord op Uw schrijven van Dinsdag j.l. hebben wij de eer UEd. mede te delen, dat het Candidaats-

examen in de Rechtsgeleerdheid is bepaald op Donderdag 4 Mei, in den voormiddag te 9 ure.

Wij hebben de eer te zijn,

WelEdelgeboren Heer,
Uw Edelgeborens Dienstw. Dienaar,
T. TH. BIERSE,
pedel.

* * *

Volgens Piet Ramakers moest men den dag voor het examen een kievietsei eten. Hij, Ramakers, had een jongen gekend, die zo stom was als het achterend van een varken. Die jongen heette Beukers, en z'n Vader – Beukers heette die Vader – die had een boerderij bij Breda, maar dat deed nou aan het verhaal niks af. Wat wil 't geval. Die jongen moest ook examen doen. Nou, daar had je 't. Hij wist niet eens waar z'n boeken stonden, laat staan dat ie ze had opengesneden. „Jongen," had z'n Vader gezegd, die een boerderij had bij Breda, „als je soms bijgeval je examen niet haalt, sla ik je hersens in." Maar Beukers bleef kalm, ging den tuin in en vrat het kievitsei op. Den volgenden dag deed hij een examen, zoals op de Universiteit nog nooit een examen was gedaan. De antwoorden rolden als knikkers uit z'n mond, en één professor, die er al vijftig jaar zat, moet bij die gelegenheid gezegd hebben: „Nou heren, ik dacht dat ik er iets van af wist. Maar *hier* voel ik me een snotjongen bij."
Dit verhaal, hoewel met grote instemming ontvangen, werd toch nog overtroffen door de mededelingen van Frans Hagemeijer, een zekeren Sanders betreffende. Deze Sanders had – aldus Hagemeijer – „niet meer verstand dan zijn vest," een uitdrukking die wij wel geen van allen precies begrepen, maar die toch een

hogen graad van stompzinnigheid deed vermoeden. Moest ook examen doen. Wat deed nu die verduivelde Sanders?
Bij deze passage aangekomen keek Hagemeijer ons een voor een aan, doch daar niemand ook maar in het minst iets van dien verduivelden Sanders afwist, verzochten wij hem den loop der gebeurtenissen zelf te schetsen.
Sanders had den avond te voren alle boeken onder zijn hoofdkussen gelegd, was daarop rechtop in bed gaan staan en had in die houding de volgende spreuk gezegd:

Ik ga slapen,
gij zult waken,
Wetterbrock!
doe nu uw plicht!

Hierop was hij inderdaad gaan slapen om den volgenden morgen als een jeugdig geleerde op te staan. Dit verhaal maakte diepen indruk, en wij bestormden Hagemeijer met vragen. Doch Hagemeijer werd hierop zeer zwijgzaam. Het enige wat wij te weten kwamen was, dat de inhoud der bewuste boeken dwars door het kussen in het hoofd des slapers gedrongen was, maar omtrent de vraag waarin de rol van den heer Wetterbrock nu eigenlijk bestaan had, was Hagemeijer nogal gesloten.
Simon Oppentroodt, een lange, bleke student in de medicijnen, zeide, dat niets zo goed was als een stevig glas rum op de nuchtere maag. Hij deed nooit examen zonder rum, en *toen* hij het eenmaal zonder rum deed, had dit verzuim de noodlottigste gevolgen.
Hans Winter erkende dat rum goed was, maar gewone jenever was beter. Zijn Vader gebruikte altijd jenever, als er iets belangrijks op til was.

Ab Wijnandts raadde mij aan mijn rug met peper te bestrooien en in dien toestand het examen af te leggen. Zijn oom, die professor was geweest in Utrecht (doch overigens te stom was om voor den duvel te dansen), scheen die betrekking voor een groot deel aan deze gewoonte te danken te hebben. Rob Delsing lachte om deze verhalen. „Bakerpraatjes", zeide hij. Het enige wat werkelijk waarde had was broodpap op het voorhoofd.
Jules Bolle daarentegen – doch genoeg, geachte lezers, genoeg om te ontdekken hoe vriendelijk de wereld is jegens dengene, wien iets neteligs gaat overkomen. Men beijvert zich hem raad te geven, men vertelt hem gevallen die sprekend lijken op het onderhavige, men weet zich ooms te binnen te brengen die juist hetzelfde moesten doen en die zich op een buitengewoon spitsvondige wijze daaruit wisten te redden, men weet zich echter nog wel meer gevallen te herinneren waarbij de zaken een allerakeligst verloop hadden. Wat is dat toch? Waarom verdringt men zich om U wanneer ge alle reden hebt alleen te willen zijn? Ik lag er dien laatsten avond in bed over te denken; zij waren allen om half twaalf naar huis gegaan, het grootste gedeelte van mijn wijnvoorraad in hun magen meevoerend, bezwerend mij morgen naar de universiteit te zullen vergezellen. Hans Grubbeling had mij zelfs halverwege de trap omarmd, en was daarna voorover naar beneden gevallen. Vanuit mijn bed kon ik de verwoestingen die zij in mijn kamer hadden aangericht, nauwkeurig beschouwen. Ramakers bleek in het vuur van zijn rede het Indische tafeltje doormidden geslagen te hebben (het was ons toen niet opgevallen) en Oppentroodt had een lege fles uit het raam gegooid, dat juist tevoren door Delsing was gesloten.
Ik keek naar de grillige bijt in het glas en voelde mij

wonderlijk gelukkig. Twee glazen rum, enkele kievitseieren, een lepel stroop en een beker anijsmelk met Zweeds drop erin versmolten (een uitvinding van den oom van Hagemeijer, die op een koffieplantage in Suriname werkzaam was) hadden mij in dien verrukkelijken toestand gebracht, waarin men het aardse gewoel met een glimlach overschouwt. Wat was er nu eigenlijk te vrezen? Ik had een deskundig gelegd broodpap-verband om het voorhoofd, mijn achterhoofd was door Ramakers persoonlijk en eigenhandig met spiritus ingewreven, onder mijn hoofdkussens lag alles, wat redenen tot ongerustheid zou kunnen opleveren als het er *niet* lag, kortom, uitgenomen een vrij matige studie, was al het mogelijke gedaan om het examen onbezorgd tegemoet te treden.

„Pieter!" hoorde ik opeens iemand roepen.

Ik boog mij uit het raam en zag Delsing op het trottoir. Er lag een trek van dodelijke ongerustheid op zijn gelaat.

„Ja, wat is er?" vroeg ik zenuwachtig.

„Zeg," riep Delsing, „je hebt toch je voeten wel met berenvet ingesmeerd?"

Neen, dat had ik niet.

„God allemachtig," riep Delsing, „kerel, wat ga je beginnen?"

„Ik heb geen berenvet," riep ik terug.

„Ik kom zo weerom!" schreeuwde Delsing, en weg was hij. Na een minuut (gedurende welke ik mijn goed gesternte dankte) wierp Rob mij een potje toe, dat ik drie keer miste en eerst de vierde maal ving.

„Goed wrijven!" riep Delsing, „vooral tussen de tenen. Zit 't er eenmaal op, dan lach je om professoren."

Ik handelde naar deze aanwijzingen.

„Nou?" schreeuwde Delsing.

„Wat nou?"

„Wat voel je?”
„Ik voel niks,” zei ik argeloos.
„Ezel!” riep Delsing kwaad, en vertrok.
Ik wilde juist, zo goed en zo kwaad als ’t ging, in de richting van mijn bed glibberen, toen andermaal een stem weerklonk. Turend in het nachtelijk duister ontwaarde ik Tom Tolenaar.
„Hoe gaat het?” schreeuwde deze heer, „voel je je beroerd?”
„Nee,” antwoordde ik, „’t gaat best.”
„Echt?” informeerde hij na een tijdje.
„Ja zeker,” riep ik terug, „ik voel me best.”
Hij was zichtbaar teleurgesteld.
„Nou,” sprak Tolenaar, na mij besluiteloos aangestaard te hebben, „*als* je je beroerd voelt, moet je maar denken: beter iets dan niets.”
Ik beloofde eraan te denken, hoewel het verband niet geheel duidelijk was.
„Nou,” sprak Tolenaar andermaal, na een tijdje gedraald te hebben, „ajuus hoor. Laat je niet in de luren leggen.”
Ik deed het raam dicht, schoof het gordijn ervoor en stapte in bed, vastbesloten voor geen geld ter wereld deze handelingen in omgekeerde volgorde te voltrekken. Ik hoorde nu achtereenvolgens de stemmen van Taverne, Waszink, Stevens, Brielle en Jan Deurnemans. Waszink dreef zijn ijver zo ver, dat hij steentjes wierp tegen het linker-raam waarbij ik mijn hart vasthield dat hij er doorheen zou gaan. Toen zelfs dit mij niet kon verlokken, hoorde ik hem naar den overkant van de straat lopen en vanaf die plaats tegen de gevel brullen:
„Pieter Bas! Pieter Bas! Luister ’s! Luister ’s even! ’t Is voor je bestwil! ’t Is voor je bestwil!”
Doch aan alles komt een einde en ik viel in een

diepen, dromenlozen slaap. Vroeg in den morgen – het was nog grauw – werd ik wakker met een loodzwaar gevoel van angst, zonder nochtans te weten waarvoor. Ik wist dat, als ik er over nadacht, de reden van mijn angst mij zou te binnen schieten en daarom deed ik wanhopige moeite er niet aan te denken. Misschien heeft een mijner lezers wel eens getracht aan iets speciaals *niet* te denken. Indien dat zo is, zal hij weten dat niets zozeer uw gedachten in beslag gaat nemen als juist dat ene, wat ge niet weten wilt. De hele wereld ligt voor uw verbeelding open, doch telkenmale keren uw gedachten terug naar dat speciale punt, waar ge beslist niet wilt vertoeven. Ge duwt het terug, twee, drie malen, doch het groeit, het wordt duidelijker, duidelijker, en ineens, in de fractie van een seconde, staat het naakt voor U. Ik lag bewegingloos op mijn rug naar de barsten in het plafond te staren toen ik plotseling wist, *dat ik vandaag examen moest doen.* Het was als viel er een blok lood op mijn maag. Instinctmatig wendde ik mijn hoofd naar het Duitse klokje. Het stond stil. Daar begon de Hooglandse Kerk te slaan; vijf slagen. Of waren het er zes? Ik stak mijn hoofd uit het raam en tuurde over de daken. Ja, vijf uur. Om negen uur begon het examen. Ik had dus nog vier uur over. Het scheen mij toe alsof er van alles in deze vier uur moest gedaan worden. Ik schoot snel in de kleren en besloot onder het wassen dezen tijd aan het proces-recht te wijden. Doch toen ik mijn laarzen aantrok viel het mij in, dat de bestudering van de Historia Juris een veel betere besteding was. Of misschien de Delicten? Was niet vorige week die arme Post een uur lang uitsluitend over de Delicten doorgezaagd? Ik greep Moddermans' Romeinsch Recht – het was al kwart over vijf – zocht de Delicten, kwam halverwege de praetorische pacta tegen, weifelde

Het was kil

of ik hier eigenlijk niet *nog* minder van wist, tot mijn oog viel op de onbenoemde overeenkomsten, waarna ik W. J. Moddermans tegen den muur wierp. Ik bleef een ogenblik besluiteloos voor het raam staan, toen ik mij de bijbelse woorden van Delsing herinnerde: „Wie den tijd voor het examen een boek inkijkt, is verloren." Goed, dan maar een eindje lopen. Misschien was Delsing al op, die wist altijd precies wat er moest gebeuren in gevallen als deze. Ik daalde zachtjes de trap af (wel zorgend, die ene trede waar een plank los zat, te vermijden), trok de deur toe en stond op straat.

Het was kil. Ik liep de Breestraat uit, die geheel en al verlaten was en haast onherkenbaar in die gedaante. Zelfs op het Rapenburg was geen sterveling te zien, alles was doodstil. Ik kreeg een neiging om luidop om hulp te roepen. Het gevoel van angst klom vanuit mijn maag naar boven, langs mijn rug, en bleef boven in mijn hoofd hangen; op de Hoge Woerd kreeg ik plotseling het denkbeeld dat het best allemaal een droom kon zijn. Ik bleef staan en deed de ogen stijf dicht, opende ze en keek snel in het rond. Doch er was niets veranderd. Alleen zag ik dat bij Wijnand Focking op de Hooigracht drie mannen bezig waren een vat naar boven te hijsen. Het scheen mij plotseling toe alsof er niets heerlijkers bestond op aarde dan in dienst van Wijnand Focking vaten naar boven te hijsen. Wat een zorgeloos, verrukkelijk bestaan. Ik bad om een wonder. Doch er gebeurde niets. Een van hen riep mij na of ik soms gisteravond mijn zakdoek verloren had, waarop ik mij omkeerde en „neen" zeide, wat hen veel stof tot vrolijkheid verschafte. Langs een omweg in de Breestraat teruggekomen, bleek het eerst half zeven te zijn. Daar ik den sleutel vergeten had, en blijkens de neergelaten rol-gordijntjes, juffrouw

Fles nog in bed lag, besloot ik het slaan van zevenen af te wachten op een paaltje. Het duurde in mijn verbeelding ongeveer een uur voor een der rolgordijntjes werd opgetrokken.
„Gunst meneer!” riep juffrouw Fles (ik zag dat zij papillotten in het haar droeg, wat zij altijd ontkend had), „wat doet *U* daar?”
Ik legde alles uit, waarop juffrouw Fles snel afdaalde en de deur voor mij ontsloot.
„Meneer ziet bleek,” sprak zij, mij strak aanziende. En ineens, in een vlaag van tederheid, sloeg zij den arm om mij heen en zeide op een geheel nieuwen toon: „Kom jongeheer, trek je maar niks van die prefessers an, hoor. Dat benne geen duvels. Dat benne ook mense, net als wij. U komp 'r best, uwes weet veel meer dan U zelf denkt. Maar U moet wat ete.”
– Hierop zette zij het ontbijt klaar, terwijl ik op een stoel toekeek. Telkens als zij langs mij moest gaf zij mij een tikje op het hoofd en zei: „Kom mens!” wat mij erg goed deed.
Het ontbijt was anders dan anders, dat zag ik wel: er was ham, kaas, en zelfs een omelet. Ik begon opeens ontzettend veel van juffrouw Fles te houden; zij was tegenover mij gaan zitten en riep bij elken hap: „toe maar, meneer Pieter,” maar ik kreeg er niets door. Delsing wel. Hij kwam halverwege het festijn opdagen. „Alle donders, Basje!” riep hij, „dat moeten we ook eens proeven!” en hij at in grote opgeruimdheid. Onderwijl deed hij mij een uitvoerig verhaal omtrent een zekeren Balk – dien hij persoonlijk gekend had – die nagenoeg het hele Burgerlijk Wetboek van buiten kende, maar één ding – een kleinigheid – vergeten had en een vol uur lang over dit ene ding gevraagd was en voorts over een student, Braak geheten, die naar de getuigenis van zijn tijdgenoten meer van het Romeinse

Recht afwist dan de Romeinen zelve, maar die één dag ziek was geweest ten gevolge van een bierfuif en daarom dien enen dag de colleges van prof. Dietheimer verzuimd had. En laat nou juist – welke verhalen Delsing besloot met een opgewekt: „Hoe het ook zij, Basje, houd er den moed in!" waarna hij fluitend de trap afdaalde.

Om kwart voor negen kwam hij mij afhalen. Ik kreeg een prop in mijn keel, alles draaide een ogenblik voor mij. Buiten stonden Brielle, Waszink en Ramakers. Zij klopten mij allen op den schouder en zeiden dat het niets was. Ramakers verklaarde onderweg dat er maar twee dingen konden gebeuren: òf je slaagde, òf je slaagde niet. Hij keek ons hierbij van terzijde aan, vast overtuigd met deze zienswijze een geheel nieuw licht op de zaak geworpen te hebben. Bierse stond aan den ingang in een blauw lakens pak en ging ons voor naar het zweetkamertje. „Heeft U nog bepaalde wensen?" vroeg hij onderweg, waarop Delsing antwoordde „Neen, dank U," waarna Bierse op zijn beurt een kleine buiging maakte en zich terugtrok. Wij bleven alle vijf rechtop elkaar aankijken, totdat Bierse ten tweeden male verscheen. „Het is tijd, meneer," sprak hij.
Ik liep achter zijn blauw lakense rug aan, door een gang waaraan helemaal geen einde scheen te komen en daarna door een zijgang, die nog veel langer was. Tenslotte duwde Bierse een deur open en zei zachtjes „sterkte, meneer!" Toen sloot hij de deur achter mij toe.
„Meneer Bas, geloof ik," sprak een stem.
Ik deed een stap in die richting, doch zag niets dan een grijs gordijn.
„Jawel! Natuurlijk!" hoorde ik mij opeens bars antwoorden.

„Wel, meneer!" zei de stem verbaasd, „ik bedoel er niets mee. Gaat U zitten."
Ik zag om naar een stoel, doch er was er geen. Ik wilde juist deze vergissing aan het licht brengen, toen ik plotseling met mijn hand een leuning voelde.
„Ja, neemt U die maar," sprak de stem geruststellend, „gaat U zitten, meneer Bas."
Ik ging zitten en staarde naar het grijze gordijn.
„Zou het niet open kunnen," hoorde ik mijzelf op dezelfde luide en barse wijze vragen.
„Wat bedoelt U, meneer Bas?" riep een andere stem.
„Of het gordijn niet open kan!" riep ik terug. Iemand in de kamer stond op; iemand gaf mij een glas water. Ik dronk het geheel en al uit. Het gordijn bleek nu opgetrokken en ik zag drie gebrilde heren achter een tafel zitten en mij welwillend aanstaren. Zij moesten vlak bij mij zijn want ik kon de stem van een hunner duidelijk horen, maar toch schenen zij eindeloos ver van mij verwijderd.
„Nu, meneer Bas," hoorde ik den middelste duidelijk zeggen, „waarom antwoordt U niet op mijn vraag?"
Dat was onbillijk. Hij had nog niets gevraagd, dat wist ik zeker.
„Pardon, meneer," zei de middelste, „ik vroeg al driemaal: wie heeft de actio doli ingesteld?"
Ik voelde een golf van blijdschap door mij heen gaan. Dat was een buitengewone meevaller. Toevallig, heel toevallig, had ik dit samen met Waszing bijzonder goed nagekeken. Het was Aquilius Gallus. Ik wist zelfs het jaartal: – 66 voor Christus. Dat was zo makkelijk te onthouden omdat het samenviel met de Samenzwering van Catilina. Bovendien –
„Nu, meneer Bas, dan zal ik het maar zeggen," sprak

de stem plotseling, „het was Aquilius Gallus, in het jaar 66. Dat dient U toch te weten."
„Ik wist het ook!" riep ik.
De linkse professor glimlachte.
„U wist het, meneer Bas, maar U zei het niet."
Alle drie begonnen zij te lachen. Ik zat sprakeloos van verontwaardiging.
„Hoe het ook zij, meneer Bas," hernam de middelste,

„de actio doli *werd* ingesteld. En wel door Aquilius Gallus, zoals U wel wist, maar niet zei. Wie was eigenlijk –"
„Maar ik *wilde* het juist zeggen!" riep ik plotseling uit.
„Goed. Maar U *zei* het niet," hernam de meest linkse met innig welbehagen, „tenslotte hebben wij te maken met wat U zegt, meneer Bas, niet met wat U wilde zeggen. Wij zijn maar gewone stervelingen, meneer Bas. U kunt van ons niet verlangen dat wij door U heen kijken. Dat verlangt U toch niet, meneer Bas?"
„Neen, professor."
„Aquilius Gallus dus," hernam de middelste, alsof er niets gebeurd was, „wie was die Aquilius Gallus eigenlijk, meneer Bas?"
Ik keek naar den meest rechtsen professor; ik zou vast geweten hebben wie Aquilius Gallus was, als de meest rechtse niet plotseling enorm was opgezwollen en zijn tong had uitgestoken. Daar kwam nog bij dat de kamer duidelijk schuin stond.
„Kom, meneer Bas, wie was Aquilius Gallus?" riep een verre, verre stem.
Ik dwong mij om niet naar den meest rechtsen professor te kijken, die nog steeds zijn tong hield uitgestoken en herinnerde mij den raad van Delsing: als je het antwoord op een vraag niet weet, vraag je: hoe bedoelt U dat, professor? Dus glimlachte ik en vroeg: „Hoe bedoelt U dat, professor?"
„Wel," hernam de middelste, de vingertoppen bijeenbrengend, „hoe zou ik dat bedoelen? Was die Aquilius Gallus consul? Of was hij soldaat? Of was hij praefectus praetorio? Of misschien meneer Bas, (hier glimlachte hij) was die Aquilius Gallus wel koetsier bij een plaatselijke stalhouderij?"
Allen lachten.

„Neen, dat was hij niet," zei ik beslist.
Allen lachten zeer luid.
„Aquilius Gallus was dus geen koetsier, meneer Bas," sprak de middelste, na iets in het oor van den linkse gefluisterd te hebben, „dat staat in elk geval vast. Zoudt U misschien ook kunnen zeggen wat Aquilius Gallus dan wèl was?"
„Keizer!" riep ik plotseling.
Ik hoorde de vier repetitors achter mij zachtjes fluiten.
„Wel, meneer Bas," sprak de meest linkse, „wie was er keizer omstreeks 66 voor Christus?"
„Neen, natuurlijk, Nero," zei ik flauwtjes.
„Nero!" riep de rechtse, „kijk, dat wist ik niet! Ik heb altijd gedacht dat Nero 66 na Christus leefde. Maar ik kan mij natuurlijk vergissen, ik wil volstrekt niet –"
„Neen, neen, U hebt gelijk!" riep ik wanhopig, „Nero is het niet. Het is Tiberius."
„Tiberius!" riep de meest linkse, „wanneer leefde Tiberius, meneer Bas?"
Ik zweeg; toen zei ik in uiterste wanhoop:
„Ik – ik geloof niet dat Tiberius leefde –"
„Komaan," sprak de middelste, „dat is een geheel nieuw gezichtspunt, meneer Bas. Er is over Tiberius al heel wat geschreven, maar deze theorie is beslist oorspronkelijk. Waarop grondt U haar?"
Ik zweeg. Ik staarde naar den inktkoker op tafel en zag een vliegje op het deksel. Zijn vleugeltjes glansden als goud in de zon; het poetste zijn kopje met de twee voorpootjes en wreef van tijd tot tijd de twee achterpootjes over elkaar. Ik weet niet wat er in mijn ziel gebeurde, maar plotseling kwamen mij deze drie mensen volmaakt onbelangrijk voor. Zelfs keizer Tiberius maakte op mij niet den minsten indruk meer. Het enige belangrijke was het vliegje. Het was gaan lopen

en nu was het maar de vraag of het die streep zonlicht zou oversteken, of er langs gaan. Ik hield mijn adem in, Neen, het liep er langs. Het –
„De zaak is, meneer Bas," hernam dezelfde stem, „dat er in den tijd van Aquilius Gallus in het geheel nog geen keizers waren."
„Ah, juist," antwoordde ik verstrooid (het liep nu juist op de streep).
„Hij moet dus iets anders geweest zijn, meneer Bas. Weet U dit?"
„Praetor," zei ik half onwillig.
„Juist, meneer! En wel –?"
„Urbanus."
„Praetor urbanus! Precies. Waarom niet peregrinus?"
„Omdat het edict van „cives" spreekt."
„Juist, meneer," riep een verraste stem, „omdat het edict van cives spreekt. Precies. Waarvan spreekt het edict nog meer?"
– Het stak nu vlug de streep zonlicht over, keerde terug, en bleef in het midden staan, de vleugeltjes overstraald met goud en paarlemoer –
„Waarvan het edict nog meer spreekt?" herhaalde ik, met een ruk mijn hoofd opwendend, (want het vloog nu in een wijde boog de kamer in) „van de exceptio doli, naar alle waarschijnlijkheid."
„Inderdaad, meneer Bas, naar alle waarschijnlijkheid." sprak de middelste met een knikje, „want deze mening wordt onder meer door Steffens bestreden. Goed, Waaruit bestond de exceptio doli?"
Doch ik wist op alles het juiste antwoord. Ik gaf ze bedaard en was vrij onverschillig voor de uitwerking ervan. Het enige waarvan ik mij bewust was, was een wonderlijke kalmte. Dit duurde zo een half uur. Tenslotte sprak de middelste, na een blik op zijn horloge:

„Nu, meneer Bas, dat is het geweest. Als U zo goed wil zijn –"
Het was plotseling als ontwaakte ik. De kamer stond weer duidelijk scheef en ook de meest rechtse hield onafgebroken zijn tong uitgestoken.
„Neen, deze kant uit, meneer," hoorde ik iemand zeggen.
Een deur ging open; een deur ging dicht. Ik stond op de gang. Naast mij zag ik Bierse.
„En, meneer?" vroeg hij zachtjes, mijn hand drukkend.
„Ik weet niet, ik –" stamelde ik.
„Als U het maar geweten hèbt," zei Bierse. „U hoeft nou niks meer te weten, meneer."
Op dit ogenblik kwamen de vier repetitors uit een andere deur, zij drukten mij krachtig de hand.
„Uitstekend, meneer," zei een hunner, „uitstekend, hoor. Kranig werk. Waar haalde U opeens die doodsverachting vandaan?"
„Het vliegje," mompelde ik, „het was het vliegje."
Ik zag nog juist hoe zij elkander even aankeken, toen Bierse mij kwam roepen.
„De beslissing is gevallen, meneer," zei hij met vrolijk gezicht en duwde mij de kamer in.
„Meneer Bas," sprak de middelste, „het is ons een genoegen U dit document te kunnen overhandigen. U maakte in den aanvang een enigszins zonderlingen indruk, doch gaandeweg herstelde U zich dermate dat wij geen bezwaar zien U dit getuigschrift te doen toekomen. Wij hebben zelfs gemeend op de daarvoor bestemde plaats „cum laude" te moeten invullen."
„Hoera!" riep iemand gesmoord achter de deur. Ik herkende de stem van Delsing.
„Te moeten invullen," herhaalde de middelste, van zijn stuk gebracht en verstoord naar de deur kijkend,

„wij hopen, meneer Bas, dat U de studiën op dezelfde wijze zult voortzetten als U haar hebt aangevangen. Tevens verwachten wij –"
Doch ik kon mij niet inhouden, drukte alle vier de repetitors onstuimig de hand (wat hen in grote verlegenheid bracht) en riep luide en zonder de minste aanleiding: „Jawel, professor!"
Hierop nam de meest rechtse een rol in de hand en sprak in het Latijn tot mij, doch ik luisterde niet meer; mijn blik zwierf door het vertrek: het vliegje zat er nog en poetste zich de vleugeltjes. Ik naderde het zachtjes, sloot er plotseling mijn hand omheen en stopte het in mijn broekzak. Opkijkend zag ik de drie geleerde heren in de opperste verbazing mij aanstaren.
„Hoe sneller meneer Bas in de frisse lucht komt, hoe beter," sprak tenslotte de meest linkse.
Welke raad ik met blijdschap opvolgde.

ONTMOETING MET CATHARINA DORRE

IN den zomer van het jaar 1873 ontmoette ik voor het eerst mijn lieve vrouw Catharina Dorre. Het was op een tuinfeestje van notaris Dorre, haar Vader. Ik weet niet recht meer waarom notaris Dorre dit tuinfeestje gaf. Misschien was er in het geheel geen reden, maar ik zegen hem vanaf deze plaats.

Het was een merkwaardig tuinfeest. De meeste mensen die een tuinfeest geven, beginnen met een tuin te hebben, maar die had notaris Dorre niet. Dat wil zeggen, er lag aan den achterkant van zijn huis een tuintje, van alle kanten door de overige huizen ingesloten, en waarin een kippenhok stond en een duiventil. Catharina vertelde mij later de ontsteltenis der huisgenoten toen de notaris zijn onwrikbaar voornemen te kennen gaf hierin het tuinfeest te organiseren.

„Maar Karel!" sprak mevrouw Dorre wenend, „dat kan toch niet!"

„Waarom zou dat niet kunnen?" sprak de notaris, rood wordend, „'t is een tuin als ieder ander. We breken het kippenhok af en dan zul je eens zien hoe aardig het wordt."

Ik heb het tuinfeest ook altijd erg aardig gevonden, maar ik begrijp heel goed dat mijn oordeel over dezen avond niet objectief kan genoemd worden. Het kippenhok werd weggebroken en op de plaats daarvan een langwerpige tafel geplaatst; de tuin was nu eigenlijk te klein om er nog stoelen om heen te zetten, doch notaris Dorre had er toch stoelen om heen gezet (waarin hij trouwens gelijk had), en zo zaten wij allen met

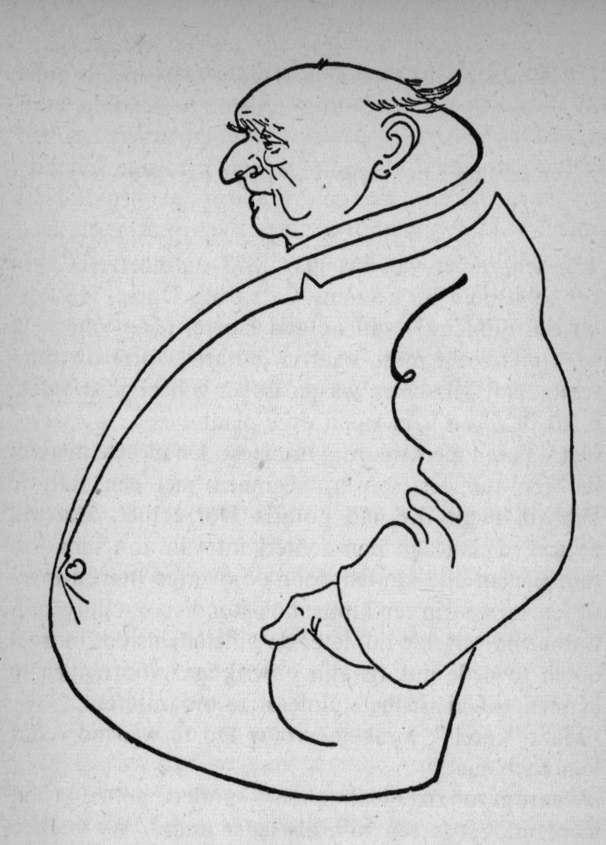

den rug tegen de schutting geperst en zeiden tegen elkaar dat het „ruim zat" was. In het bijzonder leverde dokter Jolles een betreurenswaardigen aanblik op: hij had zijn omvangrijk lichaam op een of andere geheimzinnige wijze op de hem toegedachte plaats gekregen en zag nu met een angstigen glimlach de tafel rond als om ons aller hulp na afloop van den maaltijd in te roepen. En hoewel hij met grote heldhaftigheid verschillende gerechten afsloeg, bleek het toch een toer hem te bevrijden.

Er was nog een andere omstandigheid die wat pijnlijk was. Van alle huizen rondom hingen de mensen over de balkons geleund en keken toe met die innige belangstelling van lieden, die nooit anders eten dan hutspot met aardappelen. Telkens wanneer er een nieuw gerecht werd opgediend, daalde er een gemompel van bewondering op ons neer.
„Jan! Kreeft!"
„Op je ogen!" riep een andere stem, „'t is zalm!"
„Zalm?" schreeuwde een juffrouw met schelle stem, „denk je dat zulke rijke stinkers zalm ete? Kreeft is 't!"
„Stilte!" riep notaris Dorre, verstoord naar boven kijkend.
„Ha, dikke!" klonk een geestdriftige stem, „kijk uit dat je niet barst!"
„Trek 't je niet aan, beste kerel," sprak dokter Jolles goedig, „'t wordt dadelijk donker."
En dat werd het ook. En om de aandacht niet opnieuw te trekken, werd met algemeen goedvinden besloten de lampions niet aan te steken, doch in het donker verder te arbeiden. En zo werd het langzamerhand een gezellige avond, zonder verdere ongelukken dan een klein incident dat ik volledigheidshalve hier even vermeld, omdat men zijn memoires niet enkel tot de stichtende gebeurtenissen moet beperken, doch veeleer den lezer met ruimen blik en onbekommerd hart in het volle leven behoort binnen te voeren: voor een verlicht raam met open gordijnen stond een man zich te scheren; dat was op zichzelf al betreurenswaardig, doch plotseling trok hij tot ons aller ontzetting zijn hemd uit.
„Niet kijken, dames!" riep notaris Dorre zenuwachtig, aldus aller aandacht op het droevig gebeuren vestigend. Doch gelukkig blies de man op dit moment het licht

uit en kroop waarschijnlijk in bed. In elk geval, de avond had een rustig verloop, en voor mij werd zij zelfs een verrassing die mijn hele leven geduurd heeft. Want mijn hoofd oplichtend van het bord om naar een bijzonder aardige grap van den ouden Hellebrekers te luisteren, ontmoette ik de stralende ogen van Catharina Dorre.

Lieve lezers, vergun mij dat ik hier even ophoud, de ontroering wordt mij te machtig. Er zijn herinneringen voor een zes en tachtig-jarigen man, die hem de baas worden.

Natuurlijk had ik Catharina Dorre al eerder ontmoet; ik kende haar van den tijd dat zij rode kniekousjes droeg en een blauwen strik in 't haar; en zo vaak had ik het touw voor haar gedraaid, terwijl zij zelve met glinsterende oogjes sprong op de maat van het raadselachtige lied:

Ik heb een jàsken gekócht,
naar de lómmerd gebrócht,
zo gezeid, zo gedaàn,
om naar huis te gaàn,
van inspin,
spring er dan maar in,
van uitspuit,
spring er dan maar uit,

maar nooit, neen, nooit was ik verliefd op haar geweest, ik kan mij dat niet herinneren. En stilletjes aan was zij groot geworden, groter en groter, en nu zat zij daar, zo verbijsterend mooi, zo onuitsprekelijk heerlijk! Haar zwarte kraaloogjes waren groot en glanzend geworden, en wanneer zij de wimpers neersloeg was er een diep, geheimzinnig licht in, zo mysterieus als een Oosterse avond. En wanneer zij lachte,

straalden zij als twee schitterende sterren, vol sprankelende blijdschap of er vonkte een lichte spot in op, als een lichtflits, even.
Ik bleef haar verbijsterd aanstaren tot ik een trap onder tafel kreeg van Delsing; met een ruk kwam ik tot mij zelven, zover als ik hiertoe in staat was, want helemaal in orde is het nooit meer gekomen. En toen ik mijn ogen weer op het bord vestigde, was de hele wereld veranderd. Zeker, de kalfs-cotelet lag er nog, maar het had geen zin om hem nog op te eten. Men kon het wel doen, men kon het niet doen, het was volmaakt onbelangrijk. En de roomtaart waar ik heimelijk zo op gevlast had, wel, men kon hem brengen, ik zou er een stukje van nemen indien men daar op gesteld was, maar men kon het ook gerust laten. En opeens moest ik glimlachen om het doctoraal examen wat mij over een maand te wachten stond, ach ja, het doctoraal examen! Hoe was het toch mogelijk dat men daar vervuld van was! Men kon het wel halen, men kon het niet halen, er was geen wezenlijk verschil tussen. Catharina Dorre, o Catharina Dorre, o Cathari –
„Komaan, dames en heren!" sprak notaris Dorre plotseling, „wat zoudt U ervan zeggen als wij ook eens een dronk instelden op het komende examen van den heer Bas?"
De dronk werd ingesteld en ik stond zwak glimlachend op en stootte mijn glas beurtelings tegen de andere glazen. Bij Catharina's glas waagde ik het een ondeelbaar ogenblik haar aan te kijken: terzelfder tijd sloeg zij de ogen op – *en bloosde.* Toen liet ik het glas vallen op het grint; het sloeg met een scherpen slag uiteen. „Wat is er, meneer Bas?" sprak notaris Dorre bezorgd, „gevoelt U zich niet wel?" Doch ik ging snel zitten en zeide dat het niets was. Ha, niets!

Niemand lette op mij en ik kon ongemerkt wegduiken in de zee van gissingen welke door haar blos in het leven was geroepen. Had zij uit woede gebloosd? Of was het – ach, kon ik het Delsing maar vragen!
De heer Hellebrekers (die als een olijkerd bekend stond en dat ook zeer goed wist) merkte op dat het koud begon te worden, en dat, als de gastheer voorstelde om binnen een glaasje cognac te pakken, hij dit aanbod niet zou afslaan (gelach). Niet dat hij met iets anders dan cognac niet tevreden zou zijn (gelach). Het was maar een voorstel. En wat de jongelui betreft, die zouden misschien nog wat bij elkaar willen blijven in den tuin. Hij was ook jong geweest (gelach). En later op den avond konden de twee partijen elkaar altijd weer ontmoeten, hetzij in- hetzij buitenshuis. Nog eens, het was maar een voorstel. Maar hij achtte het wenselijk dat de partijen niet te lang gescheiden bleven (gelach).
Deze gedachte – al was het dan maar een voorstel – werd algemeen goedgekeurd, en zo bleven wij met ons drietjes in den tuin achter; want Simon Oppentroodt, die tot onze partij behoorde, had allen met ongelofelijken ernst een hand gegeven en was naar huis gegaan. Ik was blij dat Delsing bleef, want indien ik met Catharina Dorre alleen in den tuin ware achtergelaten, was ik uit louter eerbied de schutting overgeklommen. Het leek mij toch al een verregaande onbeschaamdheid te vragen:
„Vindt U het niet te koud, juffrouw Dorre?”
„Och nee, meneer Bas, dan zou ik wel naar binnen zijn gegaan,” luidde het onverwachte antwoord. Er kwam weer dat kleine spotlichtje in haar ogen. Ik zat een ogenblik versteend. Delsing schudde zachtjes naar mij met zijn hoofd als om aan te geven dat ’t helemaal mis was en wees heftig naar het glas.
„Zoudt U – zoudt U *ook* niet een glas jenever willen

gebruiken, juffrouw Dorre?" vroeg ik twijfelend. Delsing hief de ogen ten hemel om zijn ontzetting over dit voorstel uit te drukken.
„Nu, meneer Bas," sprak zij lachend, „ik ben bang dat jenever wel wat zwaar voor mij is. Het is een herendrank, ziet U, maar het strekt U tot eer dat U dit niet wist. Als U een glas limonade voor mij zoudt willen halen, zou ik U érg dankbaar zijn."
Ik ging vernietigd heen om het gevraagde te halen. Welke is toch die macht die ons de domste dingen doet zeggen op de momenten waarop alles van ons vernuft afhangt? Ik weet het niet, maar toen ik terugkeerde met het glas zag ik Delsing in een brillant gesprek met haar gewikkeld. Hij schudde de fijnste geestigheden uit zijn mouw, wist overal een puntig antwoord op, en deed dit alles met een gemak alsof hij zich tegenover een gewoon meisje bevond. Ach, had ik die eigenschap ook! Wat moet dat toch iets heerlijks wezen! Zo dikwijls ziet men die wonderlijke wezens in volle balzalen, waar de schoonste scheppingen Gods zo maar om U heen lopen, of aan ademberovende diners, met een smoking aan tussen twee meisjes gezeten, en onder talloze andere omstandigheden die iemand den spraak benemen, nochtans die onbekommerde conversatiehouding bewaren, alsof men op het cricket-veld staat met niets om U heen dan uw beste vrienden en wat boterbloemen. Wonderlijk mensen! Wat heeft God toch in de wieg met hen uitgevoerd? Hebben zij de macht gekregen de slagen van hun hart naar willekeur te regelen? Of klopt dit hart altijd maar door denzelfden vasten maatgang? Ik weet het niet; doch nooit ziet men hen over den drempel struikelen, nimmer springt er een knoop van hun broek los, feilloos past hun radertje in het gecompliceerde uurwerk dat men een gezellig avondje noemt.

Catharina Dorre

Doch terwijl Delsing aldus met Catharina sprak, gevoelde ik geen wrok. Ik was hem dankbaar dat hij de leiding genomen had, en dat ik mocht luisteren en kijken. Wat was zij toch schoon! Met haar grote, donkere ogen keek zij Rob onbevangen in het gelaat, en af en toe wierp zij het hoofd achterover en lachte den avond vol met haar parelenden lach.
Eensklaps wendde zij zich tot mij en vroeg glimlachend:
„Wat bent u stil?"

Ik bleef haar een ogenblik zwijgend aanstaren: toen zei ik onnozel:
„Ik ben toch heus erg in mijn schik, juffrouw Dorre."
Delsing knikte mij goedkeurend toe.
„Bent u zo blij?" vroeg Catharina lachend, „waarom bent u zo blij?"
„Omdat ik hier mag zitten en naar U kijken, juffrouw Dorre," antwoordde ik naar waarheid.
Catharina staarde mij een ogenblik verbaasd aan. Toen keerde zij zich met een rukje naar Delsing en begon snel door te praten, lachte voordat Delsing zijn grappen volledig uit had, en plotseling stond zij op en liep naar binnen. Wij bleven even stil.
„Allemachtig, Basje," sprak Delsing, „je bent me d'r eentje."
„Denk je dat ik haar beledigd heb, Rob?" vroeg ik vertwijfeld.
Delsing schudde zijn hoofd en keek mij een tijdje peinzend aan.
„Ik geloof het juist niet," sprak hij toen, „ik geloof – nee, ik zeg niet wat ik geloof."
„Je kunt toch wel zeggen wat je gelooft."
„Een vrouw is als een bloem," sprak Delsing, zijn benen op het tuintafeltje leggend, „zij is er om bewonderd te worden, en zij wenst geplukt te worden door wie haar bewondert."
„Welnu, dan wil ik iets zeer ernstigs zeggen," sprak ik, om mij heen ziende, „maar je moet me beloven dat je het niemand vertelt."
Delsing keek mij glimlachend aan, en knikte.
„Goed, Basje, ik zal zwijgen als het graf."
„Nu ik – maar je vertelt het niemand?"
Delsing knikte lachend.
„Ik – ik – je zult het misschien gek vinden, Rob, maar ik – weet je –"

Delsing barstte in een hartelijk gelach uit. „Ik vrees het ook, Basje," sprak hij, zich vergenoegd op de knieën slaande, „ik vrees het ook! Heb je ooit zoiets gezien! O, Basje!"
„Ja maar Rob," protesteerde ik verontwaardigd, „dit is iets heel anders! Nooit Rob, nooit is het zó bij me geweest."
„Dat wil nog al wat zeggen, Pieter," sprak Delsing, met een poging om ernstig te kijken, „weet je het wel zeker?"
„Zeker? Ik kan je niet uitleggen wat ik voel. Ik zou de wereld willen veroveren."
„Ik zou maar met juffrouw Dorre beginnen," stelde hij lachend voor.
„Delsing!" zeide ik ernstig, „je moet mij helpen!" Delsing keek mij een tijdje zwijgend aan.
„Luister eens," sprak hij toen, zijn hand op mijn knie leggend, „je moet het ditmaal alleen doen. Je doet het eigenlijk uitstekend. Zeg nu niets, het is zo. Als je nu maar precies doet wat je hart je ingeeft. Dadelijk beginnen ze te dansen, ik zag tenminste een paar muzikanten in de serre rondscharrelen. Ga nu niet met een oude dame aan de haal, Basje, en loop ook niet met een filosofisch gezicht in het rond, want dat helpt allemaal niets. Recht erop af, dat is de zaak. En als je met haar danst, dan niet denken: wat moet ik nou zeggen, wat moet ik nou doen, want dan zeg je niks en dan doe je niks. Doorpraten, blindelings doorpraten, elke gedachte die maar even opduikt bij den nek grijpen en eruit gooien."
„Jawel, Rob."
„Het is misschien wel goed als je weet waarom het zo is," vervolgde Delsing, hierover nadenkend, „want het is moeilijk een gedragslijn te volgen waarvan je de eigenlijke reden niet weet. Kijk, Basje, de fout van alle

verlegen mensen, zoals jij, bestaat hierin dat ze een goed gesprek willen voeren; het geheim van een schitterend causeur daarentegen is dat hij niets wil voeren. Hij laat zich voeren, en wel door de eerste de beste gedachte die hem invalt. En, Basje, zulk een gedachte is altijd de goede, want zij wordt geboren uit de onmiddellijke omgeving, hetzij de stroefheid van den vloer, de warmte van het vertrek of de zonderlinge benen van den man voor je. Zulk een opmerking kan door de vrouw onmiddellijk ontkend of beaamd worden, zij kan haar bijval betuigen, zij kan haar verwondering te kennen geven, zij kan lachen, dit alles omdat de gedachte direct te toetsen is. Begrijp je het? Om een opmerking te beantwoorden die uit waarneming geboren is, behoeft men niet te denken, en dit is de reden waarom zij succes bij de vrouwen heeft."
„Zou je menen, Rob?"
„Het is zo. Maar wat doet de heer Pieter Bas? Hij zegt: vindt u ook niet dat de nieuwe spelling grote nadelen heeft? Wat is er nu fout in die opmerking Bas?"
„Het – het lijkt me, eerlijk gezegd, een heel redelijke opmerking, Rob."
„Dacht ik het niet!" riep Delsing, een slag op zijn knie gevend, „maar Basje! Zulk een opmerking dwingt toch tot nadenken? Als ik jou vraag of de nieuwe spelling geen grote nadelen heeft, dan ben je toch verplicht over die bezwaren na te denken? En dat is funest. Een vrouw trekt geen zijden kousjes en satijnen schoentjes aan om na te denken. Zij is gekomen om te dansen, te schertsen, en te lachen."
„Ik kan ze niet aan 't lachen maken, Rob."
„Daar heb je het weer. Hoeveel avonden hebben we we ons niet samen een rolberoerte gelachen?"
„Dat is wat anders."
„En waarom is dat wat anders?"

„Omdat – dan ben je met mannen onder elkaar."
„En wat zou dat nou, Basje?"
„Nou, dan flap je er maar uit, je hoeft je best niet te doen en zo. Bij vrouwen is dat heel wat anders, Rob. Ze kijken je met hun grote ogen aan, en dan kun je toch niet maar wat zeggen, ik – als ik met een vrouw praat, heb ik altijd het gevoel of ik voor een groot, diep meer sta –"
Delsing keek mij enige ogenblikken verbaasd aan. Toen snoot hij zijn neus, en hernam aarzelend: „Ja Basje – wat moet ik nu zeggen? Een groot, diep meer. Ik weet niet of ik eigenlijk wel iets mag zeggen. Niemand kent de vrouwen, Basje, maar – maar jij wel het allerminst, geloof ik."
Hij dacht even na.
„De vrouw, ja, dat is een duister geheim, er is niets ter wereld, mijn waarde, waar eigenlijk zo weinig van bekend is. En dat is ook goed, want hoe minder men ervan begrijpt, hoe beter het is. Maar zoals jij, Pieter, met dat diepe meer, ik geloof toch niet dat ik het zo mag laten. Als jij met een meer in je hoofd blijft rondlopen, zul je er nooit toe komen er eentje over te steken. En dat is toch waar we voor geschapen zijn, Basje, als de feiten niet bedriegen. Neen, zo is het niet, hoe het ook wel is."
„Maar – maar hoe is het dan wel, Rob?"
Delsing bleef mij enige ogenblikken in gedachten aankijken. Toen zei hij:
„Ik weet het niet, Bas."
„Maar Rob, *jij* zult het toch wel weten?"
Delsing barstte in een hartelijk gelach uit.
„Dacht ik het niet! Kijk! kijk! Delsing weet zoveel van de vrouwen af, hè? Weet Delsing ook. Maar onthou goed, mijn waarde: wie er het meest van afweet, begrijpt er het minst van."

„Zou je denken, Rob?”
„Het is ongeveer als bij de grot van Han: hoe dieper je erin doordringt, hoe geheimzinniger het wordt.”
„Die meren van mij zijn dan zo dwaas nog niet.”
„Neen, dwaas is het niet, Basje, het is alleen niet waar. Als je iets niet begrijpt, hoeft 't nog niet diep te zijn, Pieter. Dat denken alle verlegen mensen.”
„Maar als een vrouw niet diep is, Rob, is ze dan ondiep?”
„Neen, ondiep is ze nog minder.”
„Ja maar, Rob, wat – wat is ze dan?”
„Daar hebben we het,” sprak Delsing, zijn benen over elkaar slaande en achterover leunend, „daar hebben we het nou. Die Bas toch.”
Hij floot een tijdje tussen zijn tanden en schudde toen krachtig het hoofd.
„Kom, we zullen die oude knarren eens gaan opzoeken, we moeten niet vergeten dat we op een avondje bij notaris Dorre zijn. Maar denk om wat wat ik je gezegd heb: praat en doe precies wat je hart je ingeeft, blindelings, zonder nadenken. Wie met een vrouw praat onder het dansen, blaast zeepbellen, prachtig gekleurde zeepbellen, de ene nog mooier dan de andere, en bij elkaar is het niets. Dat zijn zo de hoofdlijnen. En dan, wat ik je nogmaals raad: laat haar lachen. Als een vrouw lacht, wordt ze een sprookje. En dat weet ze deksels goed. En daarom zal ze je dankbaar zijn als je haar laat lachen. En denk nu niet dat het een fijne geestigheid moet zijn, Basje. Ze lacht niet om wat je zegt. Ze lacht terwille van haar parelwitte tanden, en om een boel andere dingen meer. Verbeeld je maar niets. En nu: en avant, zei de majoor.”
Hij duwde de deur open, wij stonden een ogenblik bedwelmd tussen draaiende japonnen, muziek, parfurm, gepraat en gelach. Delsing gaf mij een forsen

stoot in den rug en zo vloog ik recht op Catharina Dorre af.

Laat ik trachten mij dezen gedenkwaardigen avond voor den geest te roepen. Notaris Durand, herinner ik mij, den ouden Hellebrekers, dominé Perk, van der Steen, Smeets, Stappers, Bogaerts, Deurnemans en nog een paar notabelen van minderen rang, die ik mij niet meer kan te binnen brengen. Zij allen hadden hun vrouwen meegenomen, en deze vrouwen hadden op hun beurt hun beste japonnen aangetrokken en zo was alles voor den strijd gereed.
Ik heb later wel eens nagedacht over de reden die notaris Dorre ertoe gebracht mocht hebben om een student in de rechten voor dit festijn uit te nodigen. Zag hij in mij een geschikte partij voor zijn dochter? Ik kan het niet aannemen; hij, als Vader, wist toch wie Catharina Dorre was. Meende hij wellicht dat ik met enkele kwinkslagen den avond zou kruiden? Het kan zijn, maar dan heb ik hem teleurgesteld. Ik was een goed deel van den avond verpletterd, vernietigd, sprakeloos. Het bleek niet zo gemakkelijk zeepbellen te blazen als Delsing het voorgesteld had. Ik was begonnen met haar op het onnozel gezicht van een zittende heer te wijzen, maar daar deze haar oudste broer was, had de grap niet die uitwerking welke er redelijkerwijze van verwacht kon worden.
„U bent tamelijk ongelukkig vanavond, meneer Bas,” sprak zij lachend, mij van terzijde aanziende.
„O, dat is niets, juffrouw Dorre,” antwoordde ik onnozel.
Catharina Dorre lachte zachtjes.
„Ik bedoel,” hernam ik haastig, „U moet maar helemaal niet op mij letten.”
„Dat heb ik ook nog helemaal niet gedaan, meneer

Bas," verklaarde Catharina, haar wenkbrauwtjes zo hoog mogelijk optrekkend.
Wij dansten een tijdje zwijgend door.
„Zo bedoel ik het eigenlijk ook nog niet, juffrouw Dorre," sprak ik verward, „ik bedoel er eigenlijk iets geheel anders mee."
„O, juist," antwoordde Catharina, haar krullen schuddend, „dat wist ik natuurlijk niet."
Over haar schouder heen zag ik Delsing naast een oude dame zitten en mij goedkeurend toeknikken, blijkbaar in de vaste veronderstelling dat wij in een tintelende conversatie gewikkeld waren.
„Het is zo moeilijk, juffrouw Dorre," sprak ik, „als U nu maar niet boos wordt."
„Welneen!" riep Catharina lachend, „boos ben ik niet, meneer Bas. Wat zou ik nu boos worden?"
„Want, ziet U," hernam ik, bemoedigd, „het is zo moeilijk om grappig te zijn."
„Maar tot nu toe bent U werkelijk heel grappig geweest," verklaarde Catharina ernstig. En om dit te bewijzen brak zij in een vrolijken lach uit.
Delsing knikte mij opnieuw vanuit de verte toe. Hij scheen zeer ingenomen.
„Ach juffrouw Dorre," sprak ik wanhopig, „die soort grappigheid – nu ja. Maar ik zou zo dolgraag zeepbellen blazen."
Hierop wierp Catharina Dorre haar hoofdje achterover en lachte definitief tot de dans uit was.
„Uitstekend, Basje," sprak Delsing opstaand, en mij op den schouder kloppend, „je hebt mijn stoutste verwachtingen overtroffen. Allemachtig kerel, wat hadden jullie een plezier."
„Ach Rob," sprak ik wanhopig, „als je eens wist *waarom* ze lachte –"
„Zie je wel!" hernam Delsing zegevierend, „heb ik het

niet gezegd? Het geringste is al genoeg!" En het gelukte mij niet hem de ware toedracht duidelijk te maken. En notaris Dorre, door zijn dochter ingelicht, stootte mij schalks in de zij en sprak:
„U bent me een olijkerd, meneer Bas! Zeepbellen blazen! Wel, wel! Hoe komt 'n mens op het idee. Die studenten, dat zijn me patjakkers!" en hierop barstte de goede man in een gullen lach uit. En hierdoor bemoedigd vroeg ik Catharina Dorre een tweede maal ten dans, wat zij lachend aanvaardde. En ik praatte honderd uit en zij lachte gelijk een bergbeekje, dat van de rotsen ritselt en keek mij aan met haar grote donkere ogen, zo heerlijk, zo heerlijk! En ik mocht een glas wijn voor haar halen (maar het moest geen zware zijn). En ik mocht haar manteltje aangeven, toen zij in den tuin wenste te wandelen. En onder de duiventil gaf ik haar een kus. Ach, lieve lezers!

AANHANGSEL, SUPPLEMENT OF BIJLAGE

ZOGENAAMD AANHANGSEL, SUPPLEMENT OF BIJLAGE

Van bevriende zijde vernam ik dat memoires gewoonlijk worden uitgegeven met een Aanhangsel, ook wel Supplement genoemd of Bijlage.
Ik wil mijn goeden ouden vriend niet blameren door zijne memoires zonder Aanhangsel, Supplement of Bijlage uit te geven.
Niets is trouwens gemakkelijker dan dat. Ik heb slechts een greep te doen uit de Handelingen der Staten Generaal uit de jaren van 1916–1920, welke zijn kundig beleid en opmerkelijken spreektrant voor het nageslacht bewaard hebben.
Zijne Excellentie sprak niet veel. Hem vijandige bladen schreven zelfs dat hij somtijds door den bode *) moest gewekt worden teneinde van repliek te dienen. Anderen ontkennen dit weer. Te verontschuldigen ware het zeker (ik doel hier op niets anders dan zijn hogen leeftijd). Vanuit juridisch standpunt waren zijn betogen niet zeer sterk. Doch zonder humor waren zij nimmer. Hij scheen, gelijk de Gooische Post van 11 Augustus 1917 zo treffend opmerkte, zijne tegenstanders meer door zijn innemenden glimlach te verpletteren dan door een strikten bewijstrant.
Zelden sprak hij voorbereid. En deed hij zulks een enkele maal, dan geschiedde het mompelend en met gebogen hoofd.
Doch in een onverwacht debat glinsterden zijn ogen en was hij constant buiten de orde.
Zijn beleid in onderwijs-zaken werd algemeen geprezen. Hij had slechts twee ernstige tegenstanders op het

*) Bediende in de Tweede Kamer.

Binnenhof: den heer L. de Bruin en den heer D. Jacobs. Was er iets betreurenswaardigs voorgevallen op een of andere school, onmiddellijk stond de heer de Bruin recht om volle rekenschap te vragen. Was er een delicate zaak met een of anderen leraar, onveranderlijk had de heer Jacobs de pijnlijkste vragen gereed.
De wijze, waarop de oude man zich uit de benarde omstandigheden redde, de manier waarop hij dikwerf al spelenderwijze de aandacht van het tere punt wist af te leiden en zo een mens voor blijvende schande te hoeden, de ernst waarmede hij zijn volkomen belachelijke vragen stelde, en tijdens het antwoord mistroostig in zijn wit baardje stond te plukken, wordt door deskundigen als een leidraad voor toekomstige staatslieden beschouwd.

HANDELINGEN DER STATEN GENERAAL

ZITTING 18 DECEMBER 1918

De heer de Bruin: „Is de minister genegen inlichtingen te geven omtrent het incident in de Lagere School te Gouda?"
De heer Bas, Minister van Onderwijs: „Neen."
De heer de Bruin: „Wat zegt u?"
De heer Bas: „Ik zei: neen."
De heer Jacobs: „Ongehoord!"
De Voorzitter: „Ik verzoek den geachten afgevaardigde zich in zijne uitdrukkingen te matigen."
De heer de Bruin: „Meneer de Voorzitter! Tot mijn spijt moet ik het met den heer Jacobs eens zijn. Dit is inderdaad hoogst merkwaardig! Als de plaats, waar dit antwoord gegeven werd, niet elk vermoeden in die richting afwees, zou men haast zeggen, dat het humoristisch bedoeld is."
De heer Jacobs: „Ik deel de opinie van den heer de Bruin volkomen. En ik voeg eraan toe: zou de minister dan misschien zo goed willen zijn te verklaren, waarom hij daartoe niet genegen is?"
De heer Bas: „Omdat ik van het incident niets afweet" (gelach).
De Voorzitter: „Ik verzoek de heren om stilte."
De heer de Bruin: „Meneer de Voorzitter! Dit antwoord is volkomen onbegrijpelijk. Drie weken lang hebben de kranten vol gestaan over het Goudse incident. Tot vervelens toe daalden de journalisten af tot in de fijnste bijzonderheden. Er is geen kind, durf ik zeggen, dat niet alles haarfijn over dit voorval afweet."
De Voorzitter: „Heeft de minister hierop iets te antwoorden?"
De heer Bas, Minister van Onderwijs: „Ik zou deze

De heer de Bruin

eenvoudige vraag willen stellen: waarom verlangt de geachte afgevaardigde inlichtingen over iets, waaromtrent alles zo nauwkeurig bekend is?" (gelach).

De Voorzitter: „Ik verzoek de heren dringend om stilte!"
De heer de Bruin: „Met het woord „inlichtingen" bedoelde ik natuurlijk „maatregelen ter verbetering"."
De heer Bas, Minister van Onderwijs: „Meneer de Voorzitter: Ik dank den geachten afgevaardigde voor zijn vertrouwen in mijn scherpzinnigheid. Immers, de zin der woorden op zich te verstaan is reeds een bewijs van inzicht. Maar aan te voelen wat er eigenlijk mee *bedoeld* wordt, vraagt een nog scherper vernuft. In aansluiting dan op de bedoeling van den spreker, antwoord ik dan, dat deze maatregelen inderdaad genomen zijn."
De heer de Bruin: „Meneer de Voorzitter! Ik kan deze verklaring geen antwoord noemen op mijn vraag. Wanneer ik vraag: heeft de minister maatregelen genomen ter verbetering, dan bedoel ik natuurlijk met die vraag: welke zijn die maatregelen ter verbetering. Want dat zij genomen zijn, wisten we al lang."
De heer Bas, Minister van Onderwijs: Meneer de Voorzitter. Ik geloof, dat nu de gedachtenwisseling op een punt gekomen is, dat zij enige toelichting vraagt. Vergun mij, dat ik den gedachtengang van den geachten afgevaardigde even reconstrueer. De heer de Bruin begon, meen ik, met de vragen of ik genegen was inlichtingen te geven omtrent het incident in de Lagere School van Gouda."
De heer de Bruin: „Jawel."
De heer Bas, Minister van Onderwijs: „Later bleek, dat de afgevaardigde hiermede bedoelde te vragen of ik maatregelen had genomen ter verbetering."
De heer de Bruin: „Jawel."
De heer Bas, Minister van Onderwijs: „Doch daarna bleek, dat achter deze bedoeling een nieuwe bedoeling verborgen zat. Want met de bedoeling: hebt u maat-

regelen genomen ter verbetering, bedoelde u eigenlijk welke zijn die maatregelen?"
De Voorzitter (klopt om stilte): „Ik verzoek Zijne Excellentie zich te herinneren, dat het Goudse incident zich node leent voor een dusdanige humoristische behandeling. De woorden van den heer de Bruin moeten in dit verband niet telkens letterlijk genomen worden. Zoudt u dus genegen zijn op de bedoeling van den heer de Bruin te antwoorden?"
De heer Bas, Minister van Onderwijs: „Op de tweede bedoeling?"
De Voorzitter (klop om stilte): „Op de tweede bedoeling."
De heer Bas, Minister van Onderwijs: „In antwoord dan op de tweede bedoeling van den heer de Bruin verklaar ik, dat de betreffende onderwijzeres ontslagen is."
De heer Jacobs: „Mag ik den minister vragen: is de betreffende onderwijzeres mèt of zonder pensioen ontslagen?"
De heer Bas, Minister van Onderwijs: „Mag ik uw vraag letterlijk opvatten?"
De heer Jacobs: „Jawel."
De heer Bas, Minister van Onderwijs: „Dan is zij zonder pensioen ontslagen" (gelach).
De heer de Bruin: „Men zegt, dat reeds lang in die school mistoestanden heersen. Was u daarvan niets bekend?"
De heer Bas: „Neen."
De heer de Bruin: „Dat is toch hoogst merkwaardig!"
De heer Bas: „Ja."
De Voorzitter: „Heeft verder de heer de Bruin nog iets te vragen?"
De heer de Bruin: „Jawel. Ik zeide dat het toch wel hoogst merkwaardig was."

De heer Bas, Minister van Onderwijs: „Dat heb ik al beaamd."
De heer Jacobs: „Het is toch duidelijk, Excellentie, dat de heer de Bruin daarmee iets bedoelt.
De heer Bas, Minister van Onderwijs: „Ha! dat dacht ik al!"
De Voorzitter (klopt om stilte): „Ik verzoek den heer de Bruin zijn bedoeling kenbaar te maken."
De heer de Bruin: „Meneer de Voorzitter! Wanneer ik zeg: „het is toch hoogst merkwaardig, dat u dat niet wist," dan verwacht ik natuurlijk een verklaring omtrent deze onwetendheid."
De heer Bas, Minister van Onderwijs: „Meneer de Voorzitter. De geachte afgevaardigde bedoelt dus met zijn verklaring dat het hoogst merkwaardig is, de vraag te stellen, waarom ik dat niet weet?"
De heer de Bruin: „Jawel."
De heer Bas, Minister van Onderwijs: „Dit is uw definitieve bedoeling?"
De heer de Bruin: „Jawel."
De heer Bas, Minister van Onderwijs: „Dan verklaar ik als antwoord op de bedoeling van den geachten afgevaardigde, dat ik omtrent deze mistoestanden geen rapporten heb ontvangen."
De heer de Bruin: „Dat is al zéér betreurenswaardig."
De heer Bas, Minister van Onderwijs: „Ja."
De heer Jacobs: „Vondt u dat zelf niet zeer merkwaardig, Excellentie?"
De heer Bas: „Jazeker!" (gelach).
De Voorzitter: „Ik verzoek de heren om stilte."
De heer Jacobs: „Meneer de Voorzitter! Ik heb het gevoel met een kluitje in het riet te worden gestuurd. Het enige wat wij weten is, dat de betreffende onderwijzeres zonder pensioen ontslagen is. Goed. Maar er is meer dan dat. Door het Goudse incident is een smet

geworpen op het tot dusver onbevlekte blazoen van het Nederlandse onderwijs."
De heer de Bruin: „Bravo!"
De Voorzitter: „Ik verzoek den geachten afgevaardigde niet te interrumperen. Gaat U door, meneer Jacobs."
De heer Jacobs: „Ik had niets meer te zeggen, dank U."
De heer Bas, Minister van Onderwijs: „Meneer de Voorzitter. De geachte afgevaardigde van zoëven deelde mede, dat door het Goudse incident een smet geworpen is op het tot dusver onbevlekt blazoen van het Nederlandse onderwijs. Laat ons een ogenblik aannemen, dat er inderdaad een blazoen van het Nederlands onderwijs bestaat (alhoewel ik in mijn vijfjarige practijk daarvan geen vermoeden gehad heb). Dat het onbevlekt was, kan ik evenwel niet aannemen, gelijk van geen enkele aardse zaak. Maar dat er door dit voorval een smet is bijgekomen, ontken ik evenens. Onze twee blazoenen, meneer Jacobs, komen dus eigenlijk wonderwel met elkaar overeen! Op de uwe bevond zich geen smet, doch er is er later een op gevallen, en op de mijne bevond zich reeds een smet, doch er is er later geen bijgekomen."
De heer de Bruin: „Dat is geen taal!"
De Voorzitter: „Ik verzoek de heren nogmaals om stilte. Ik deel den minister mede, dat hij ver buiten de orde is."
De heer Bas, Minister van Onderwijs: „Ik vraag de geëerde vergadering en in het bijzonder den geachten afgevaardigde mij te willen vergeven. Wie met blazoenen begint te werken moet van tijd tot tijd iets grappigs terug verwachten."
De Voorzitter: „Stilte, heren, stilte! Het woord is aan den heer Jacobs."
De heer Jacobs: „Dank u, ik zal den minister geen vragen meer stellen, ik krijg toch geen antwoord."

De heer Bas, Minister van Onderwijs: „Ik heb juist mijn best gedaan, meen ik, zo nauwkeurig mogelijk op uw vragen te antwoorden, ik ben zelfs zo ver gegaan tot uw bedoelingen door te dringen."
De heer Jacobs: „Toch dank ik voor verdere interpellatie."
De heer Bas, Minister van Onderwijs: „Het spijt me."
De voorzitter: „Het woord is aan den heer Spijker, Minister van Defensie."

Fascimile handschrift Zijne Excellentie;
uit een brief aan den heer N. Spijker, Minister van Defensie;
ongedateerd. (Stadsarchief Den Haag)

Wij kunnen niet nalaten in dit Aanhangsel nog de blijde intocht van burgemeester Bas in Gouda op te nemen. Het staat wel in generlei verband met de jeugdherinneringen, doch tussen al de brokstukken was dit een vrij gaaf verslag, dat een helder licht werpt op het hart des schrijvers, en op de ongecompliceerde voornemens, waarmede hij voor het welzijn der bevolking bezield was.

De burgemeester zou volgens afspraak met een rijtuig van Rotterdam afgehaald worden, doch door een misverstand, wat nooit geheel opgehelderd is, bevindt hij zich op den weg van Rotterdam naar Gouda, ongeveer ter hoogte van Nieuwerkerk, en ziet verlangend naar de komst van het voertuig uit.

DE BLIJDE INTOCHT VAN BURGEMEESTER BAS IN GOUDA

Om half zeven zou de koets komen met de ruiters. Ik stond op den weg naar Gouda te wachten en tenslotte ging ik zitten op een mijlpaaltje en keek zo den weg af. Wat is een mens toch ingewikkeld! Opeens kwam mij de zaak zo belachelijk voor, dat de burgemeester van Gouda hier op een mijlpaaltje zat te wachten totdat ze hem zouden binnenhalen. Misschien waren ze het wel vergeten. Het zou toch kunnen dat de koetsier bijvoorbeeld – ja, de koetsier! Het scheen mij plotseling toe alsof mijn hele carrière van dien koetsier afhing. Een fijne motregen vergrootte nog mijn verbijstering; er was nergens een boom om te schuilen. dus bleef ik op het paaltje zitten en keek den weg af. Het was een bijzonder lange weg, eindeloos stil en lang. Zij liep in een groten boog door de weilanden en toen ik scherp toekeek zag ik het wazige silhouet van Gouda aan den einder, met den toren van de St. Janskerk, en de fijne spits van den Luthersen toren met een vlag. Tezelfdertijd klopte een warme trots door mij heen. Die vlag was voor mij, zij wapperde uitsluitend voor mijn genoegen. En als ik mij omkeerde en naar Rotterdam wandelde, zou die vlag ingetrokken worden, en de muziektent zou verdwijnen en de guirlandes van het stadhuis op zolder geborgen. Hier, op een mijlpaaltje in den motregen, zat de man, voor wien al deze zaken bedoeld waren, hier was hij, hier, op deze plek!

Indien ik ooit hoogmoedig was, ik was het toen. Ik bleef zo geheel verzonken in deze vleiende beschouwingen, dat ik schrok, toen, op het paaltje aan de overzij van den weg een man zijn keel schraapte en een

grote hoeveelheid bruine tabak op den weg spuwde.
„Verduiveld smerig weer, kamaraad!"
Ik zweeg.
„Hou je nou maar niet groot, jongen," hernam de man goedig, „we weten nou alle twee wel dat het nog een beroerd stuk lopen is naar Gouda. Maar in alle geval zitten we hier ruim en hebben we goed uitzicht. Hoe heet jij?"
„Bas."
„Bas! Dat is een mop! Weet jij wel dat de burgemeester van Gouda zo heet?"
„Is 't waar?"
„Is 't waar, zegt ie! En een gemeen stuk schoelje moet 't zijn ook."
„Een wat –? "herhaalde ik ontzet.
„Een schoelje, een ploert van den eersten rang. God

zal me beware, wat moet dat een laagstaande, vuile vent zijn. En zuipen! Daar moet geen kaaiwerker tegen op kenne. Maar we lusten 'm wel, hoor, Here God nog an toe, zo'n kereltje lusten we wel. Ik lust wel tien van die kereltjes. 't Moet 'n jog wezen van effe in de dertig, ik begin nou al te lachen. Weet je dat ie eerst op de secretarie van Dordrecht is geweest – als je die verhalen hoort – en moet je de vent zien, heb je 'm welles gezien?"
„N-nee."
„Nou, ik ook niet, maar ik heb 't van horen zeggen, je lacht je 'n rolberoerte, Arie heeft 'm gezien, hij zegt, als ik die lange slemiel nogges tegenkom, krijgt ie een trap onder z'n achterwerk."
Dit vooruitzicht was niet erg bemoedigend.
„Ja, Arie lust 'm ook. En de andere jongens zullen 'm ook wel lusten. We lusten 'm allemaal."
Het hart zonk mij in de schoenen. De burgerij van Gouda scheen uit louter kannibalen te bestaan.
„En daar moet je nou belasting voor betalen, daar gaan nou je centen heen; want dat mot in een groot huis wonen, dat mot in een koets, dat mot van alles, God nog toe, je zou zo'n vent toch rammele, en z'n drie schele mieters van kinderen d'r bij. Zo, dat is er uit en Jan Sanders gaat weer verder. Ajuus, kameraad, hou je bij elkaar."
Hij gaf mij een opgewekte klap, wierp een bruine zak over zijn rug, en begaf zich fluitend in de richting van Gouda.
Er zijn ogenblikken in het staatsmansleven dat men van harte de hoogte betreurt die men op de maatschappelijke ladder bereikt heeft, dat men dit alles ongedaan zou willen maken om klein en vergeten te zijn als de anderen; dat men alle macht en alle eer gaarne zou willen ruilen voor de vorstelijke onbekom-

merdheid van een slagersjongen. Ach, lieve lezers, wij kunnen het leven nooit zien als een holle buis waar het overal goed wonen is, doch wij kijken er altijd door als een trechter, waar het verderop steeds ruimer en lichter wordt. Maar geloof een oud man dat deze trechter geen einde heeft, en dat, hoe hard wij ook hollen, steeds het stuk vóór ons ruimer en lichter zal schijnen. Dit is het geheim van een tevreden mens, dat hij overtuigd is van de relativiteit, niet alleen van het licht, de beweging en den tijd, maar bovenal die van het geluk zelve.

De komst van het rijtuig stoorde mij in deze nuttige beschouwingen. Het ratelde luid de bocht om en was kennelijk voor mij bestemd. Wat een schitterend gezicht! Een open landauer, groen met rode biesjes, geescorteerd door acht blozende boeren-ruiters, die gedurig luide kreten van aanmoediging schreeuwden, manhaftig in het rond keken, en hunne paarden met de vlakke hand op de versierde billen sloegen dat het wijd in het rond kletste. Op de bok zat een wijnrode koetsier met een blauwe steek, die reeds uit de verte begon te roepen:

„Uit den weg, ongeluk, we hebben haast!"

Doch ik bleef midden op den weg staan en antwoordde waardig:

„Ik ben de burgemeester, vriend."

Dit veranderde de zaak; de man trok de teugels strak en staarde mij even aan.

„'t Is 'm, Gerrit," sprak hij toen, zich omkerend. En het rijtuig werd gewend, de zweep knalde en voort joeg het. Bij de bocht ontmoetten wij den heer Sanders ik weet niet of hij mij herkende, maar hij zwaaide in elk geval zijn hoed, en riep „leve de burgemeester!" Wat hij daarmede bedoelde begrijp ik niet.

Maar het was een heerlijke tocht, het ging zo hard

en er waren nog zoveel dingen die gebeuren zouden! Alleen beviel mij op den duur het gedrag der acht ruiters niet; soms lagen zij voorover op hun paarden gesmoord te lachen, dan bleven zij weer een eind achter, er scheen iets lachwekkends te zijn. Ik oordeelde het 't best rechtop in de kussens te zitten en met een geringschattend lachje op het gelaat naar den rug van den koetsier te kijken, wat ik voor een burgemeester van Gouda onder dergelijke omstandigheden de meest passende houding vond. Het was overigens geen prettig rijtuig. Ronduit gezegd, het rook naar mest. Het was een opmerkelijke lucht. Ik heb niet zo erg veel verstand van mest, maar ik geloof dat als men een hoeveelheid ervan in een gesloten trommel bewaart, het zeker na een tijdje zo zal ruiken. Doch ik ben niet genoeg in het landleven doorgedrongen om mijn opinie niet graag voor een deskundiger te geven. Het hinderde mij trouwens in het geheel niet; ik vond er veeleer iets poëtisch in. Maar dat er een stukje van het linkerwiel ontbrak was erg onaangenaam. Ik zag het ontbrekende stuk telkens boven den rand van het rijtuig verschijnen en even daarop kwam er een schok, die mij bijna uit het rijtuig deed vliegen. Het zou dadelijk bij de intocht in de stad niet gemakkelijk wezen die beminnelijke en toch waardige houding te bewaren die ik met Delsing op een stoel had ingestudeerd en waarmede ik, naar zijn getuigenis, terstond alle harten zou veroveren. Want dat was mijn vaste voornemen: ik zou een burgemeester zijn die tot drie uur in den omtrek populair was. Ik zou beginnen met de schromelijk verwaarloosde administratie in orde te brengen, paal en perk te stellen aan de corruptie der raadslieden (ik hoopte vurig *dat* ze corrupt waren), krachtig op te treden tegen de vele plaatselijke misbruiken, de geschokte financiën herstellen, handel en nijverheid invoeren, den landbouw moderniseren, kortom de diep gezonken gemeente opvoeren tot een der welvarendste steden van het land. Scholen en ziekenhuizen zouden als om strijd uit den grond verrijzen, overal op straat zag men de blozende gezichten der inwoners, stralend van gezondheid en levenslust, God inwendig dankend voor dezen burgemeester. Geen hovaardij zou zich echter van mij meester maken; nederig zou ik blijven de vader van allen, de vriend in nood en kommer, de deelgenoot in vreugde en blijdschap. Waren er moeilijkheden, onmiddellijk toog men naar het stadhuis om ze uit te storten in het alles begrijpend hart van den burgemeester. Waren er kinderen met pokken of mazelen, op naar den burgemeester! Was er onenigheid, was er twist, op naar het raadhuis!

Onder deze aangename overpeinzingen bereikten wij den eersten ereboog. Er stond hier een muziekcorps opgesteld, dat kennelijk een lied dreigde te spelen.

„Blijf je wachten tot het uit is?" vroeg ik zachtjes aan den koetsier.

„Ja, wat dacht je dan?" antwoordde deze verontwaardigd, zonder zelfs het hoofd te wenden. „We hebben d'r 'n hele avond op zitten zweten."

Het lied brak onmiddellijk hierop los en ik ging rechtop in het rijtuig staan, met het gezicht van een verfijnd kenner. Plotseling echter scheen de koetsier te oordelen dat het nu lang genoeg geweest was, hij gaf de paarden een klap, het rijtuig schoot naar voren en ik sloeg achterover met mijn benen in de hoogte tegen den vloer aan. Dit scheen de burgerij van Gouda te bevallen. Was zij eerst vrij stil geweest, nu steeg er een warm gejuich op. Van de nood een deugd makend stond ik snel op en trachtte onbezorgd te glimlachen. Dat was een gelukkige gedachte, want de menigte verbrak juichend de afzetting, spande de paarden af en

trok het rijtuig zegevierend door de Hoogstraat de Groote Markt op. Ik wist eigenlijk niet goed of ze dit uit vriendschap of uit vijandschap deden, maar toen ik temidden van al die schreeuwende en brullende gezichten langzaam door de Hoogstraat geperst werd, moest ik onwillekeurig aan het sombere woord van den heer Sanders denken: *We lusten 'm allemaal wel.* Op de Groote Markt waren de blijken van genegenheid evenwel ontwijfelbaar. Er was een klein meisje, dat op een fluwelen kussen de sleutels van de stad aanbood. Ik stapte uit het rijtuig, gaf het meisje een zoen (zoals Delsing mij gezegd had), nam de twee sleutels van het kussen, en, daar ik niet recht wist wat er mee aan te vangen, legde ik ze zolang op de achterbank. Ik weet niet of ik hieraan goed gedaan heb, misschien had ik er iets moeten openmaken of er symbolisch mee moeten rammelen, het is zo moeilijk de wensen der burgerij te kennen als men er alleen voor staat.
Het rijtuig werd nu tot vlak voor het bordes van het raadhuis geduwd, waar vijf of zes mannen met witte handschoenen mij ontvingen. Het werd mij duidelijk dat dit de wethouders waren, alhoewel zij het niet zeiden; twee ervan hadden maar één witte handschoen en hielden, om dit treurige feit voor mij te verbergen, de andere hand op den rug, maar ik zag het toch wel. De oudste wethouder was een goede, oude man; hij drukte mij de hand en zeide dat hij blij was dat ik er was en dat hij hoopte in deze gevoelens te kunnen volharden; waarop ik antwoordde dat ik van mijn kant hoopte geen aanleiding tot enige verandering te geven. Ik geloof dat deze zin goed was, want de mensen die er vlak bij stonden, riepen luid „bravo!" Toen werd het tijd om op het bordesje te gaan staan, teneinde de zanghulde der kinderen in ontvangst te nemen. Ieder, die wel eens in Gouda geweest is, zal zich het

aardige Gothische bordesje herinneren. Men kan het van twee kanten langs de hardstenen treden bestijgen, doch daar de ene kant momenteel door een rose lint was afgesloten, nam ik natuurlijk den andere.
„Ho! ho!” riep de menigte, „dat telt niet! Hé, daar!”
„Wat is er?” vroeg ik over de leuning aan een jongen.
„Dat telt niet, meneer!” riep de knaap geestdriftig, „U mot door ’t lint!”
Het was duidelijk dat ik nog niet het recht had daar te staan, dus daalde ik onder nauwlettend toezicht der gekwetste menigte weer naar beneden, gaf het meisje dat mij de schaar aanreikte een zoen, knipte het lint door, en stond andermaal boven.
De jongens stelden zich nu op in de vorm van een grote P., de meisjes vormden een B., en de zanghulde nam een aanvang. Ik was op dat ogenblik te ver over mijn zenuwen heen om iets van het lied te verstaan, alleen zag ik dat ze bij een bepaald woord allen met een vlaggetje zwaaiden, doch de betekenis daarvan ontging mij. Delsing had dit evenwel voorzien, en samen hadden wij een ontroerenden glimlach ingestudeerd; wij hadden uitgerekend dat ik dien glimlach vijf minuten kon volhouden, daarna werd het onherroepelijk een grijns.
De zanghulde duurde ruim een kwartier. Het angstzweet brak mij uit, terwijl ik daar moederziel alleen voor al die duizenden mensen stond, die expres allemaal hierheen gekomen waren om te zien hoe ik mij houden zou, of ik een aardige vent was of net zo’n loeder als de vorige burgemeester, of ik werkelijk zo’n neus bezat als men beweerd had, of ik het wel goed waardeerde dat hun kinderen drie Woensdagnamiddagen in een somber lokaal hadden zitten repeteren, terwijl andere kinderen stekelbaarsjes mochten vangen in den zonneschijn. Ik voelde hoe mijn ontroerende

glimlach langzaam afzakte tot een innemende, toen tot een belangstellende, en toen werd het een grijns, het werd onhoudbaar een grijns, ik stond te grijnzen, het viel niet meer te ontkennen: terwijl die lieve kinderen zich daar, louter voor mij, in het zweet stonden te zingen, was ik aan 't grijnzen, als enige dank. Ik bad in stilte dat er toch een wonder zou gebeuren, dat die mensen opeens dat lied vergeten zouden en gewoon gingen doen, net als andere door-de-weekse mensen; maar zij bleven noest doorzingen, met een bitteren ernst. Het lied eindigde vrij onverwacht in een luid „hoezee!", wat mij den moed gaf om te zwaaien, hoewel Delsing het mij afgeraden had. Ik was blij dit gedaan te hebben, want er ging een goedkeurend gejuich op. Er trad nu een klein meisje naar voren dat de ogen strak op den grond richtte, en met ongelofelijke snelheid begon te mompelen. Opeens kwam er een groot medelijden en droefheid in mijn hart: ik wist uit ervaring wat dat kleine meisje nu doormaakte, hoe ze een hele maand lang tegen dit moment had opgezien, en dat het *nu* was aangebroken, *nu* was het er, *nu* stond ze hier en moesten al die moeilijke en onbegrijpelijke woorden gezegd worden, en als ze er één vergat dan vergat ze alle andere, die volgden ook en dan bleef er niets meer over om te doen dan luid te schreien en weg te lopen. Wat maken wij het elkaar toch bitter! Laten wij meer kinderen worden, lieve lezers, ik bid het U, wordt toch meer als de kinderen! Laten wij in de handen klappen als wij blijde zijn, omhelzen wij elkaar! En als er een nieuwe burgemeester komt, omarm hem dan hartelijk, zegt dat ge hem bemint en dat ge hem altijd zult beminnen, en ga weer naar uw werk. Het leven is zo eenvoudig als wij oprecht zijn en niets anders doen dan wat ons hart ons ingeeft. Waarom zouden wij ingewikkeld doen? Waarom trekken wij

toch al die witte handschoenen aan en laten kleine, bevende meisjes onze woorden zeggen? Ik bukte mij, nam het kleine hoopje angst in mijn armen, en kuste het hartelijk; het bleef nog een tijdje plichtsgetrouw doormompelen, doch ik zeide dat het nu genoeg was en dat ik het verbazend mooi had gevonden, waarop het zich onmiddellijk loswerkte en als een pijl uit den boog het stoepje afrende. Ik heb dit altijd als mijn eerste goede daad in de gemeente Gouda beschouwd. Hierop hield ik toevallig een redevoering die klonk als een klok en het was nog wel voor de vuist weg, want het prachtige stuk proza, dat ik met Delsing

had ingestudeerd, was ik totaal vergeten. Ik las deze redevoering 's avonds in „De Goudse Koerier" en ik geraakte zelf onder den indruk.
En toen ik gezegd had, zeide de oudste wethouder nog iets, en het oudste raadslid zei ook nog iets, waarop de oudste gemeente-ambtenaar „niet wilde achterblijven," waarop een heleboel oudste mensen „een enkel woord" mij wilden „toevoegen" en allen zonder uitzondering onder de bekoring geraakten van hun eigen gedachten.
Hierna werd mij de ambtsketen omgehangen door den vorigen burgemeester (die al dien tijd met een bars gezicht gezwegen had), en was voor Gouda en voor mij een nieuw tijdperk aangebroken, zo uitermate rijk aan gewichtige gebeurtenissen, dat het ten volle den aanvang van een nieuw hoofdstuk rechtvaardigt.

heelemaal gebracht, maar de korenbloemen staan weer prachtig recht, zoodat ik er 'n stokje (stutje) onder gezet heb. En wat de memoires betreft, die laat ik maar rustig liggen. Misschien is het waar, wat je zegt, dat enkelen in den lande er hun voordeel mee kunnen doen. Maar dat weegt toch niet op tegen de moeite die ik zal hebben al die rommel bij elkaar te brengen tot een leesbaar boek. Er zijn al zooveel memoires, jonge vriend! En zooveel voortreffelijke mannen hebben reeds hunne gedachten over zichzelf en de rest geboekstaafd. Neen, ik heb genoeg aan mijn tuinboonen en tomatenstokken, laat mij maar rustig rondscharrelen. Ik heb al zooveel redevoeringen afgestoken, zooveel linten doorgeknipt, zooveel kranten-pagina's gevuld, nu past het te zwijgen en stil te wachten op het Einde. Of het Begin? Ik weet het niet. Het wordt alles zoo anders, wanneer men [illegible] is, geloof mij. Je zult het zelf voelen, wanneer je zoover bent. Stilte, stilte — anders niet. Je lacht om mij? Ik ook. Gelukgewenscht met je examen. Je bent nu vol goede moed, je wilt hooger op. Sterk je. Doe maar goed je best. ~~Het is toch~~

Alle goeds van mij.

Pieter Bas.

Het hekje is hersteld, maar het blijft toch wiebelen.

Facsimile handschrift Zijne Excellentie.

Brief geschreven drie maanden voor zijn dood en gericht aan den verzamelaar dezer memoires. Gedateerd 15 Augustus 1935.

(Gemeente-Bibliotheek Dordrecht)

LITERATUUR-OPGAVE EN ALFABETISCH REGISTER

Het is mogelijk (hoewel ik het niet waarschijnlijk acht) dat sommige lezers de historische waarheid van dit boek in twijfel zullen trekken. Nogmaals, waarschijnlijk acht ik het niet. Doch men moet in het leven, gelijk mijn grootmoeder zo treffend placht op te merken, met alle mogelijkheden rekening houden.

Om nu ook elken zweem van twijfel te verjagen heb ik een lijst van personen samengesteld, die in dit eerste deel optreden, met verwijzing naar de betreffende pagina's en enige gegevens betreffende hun dood, geboorte, en levensloop, opdat ieder daaraan de betrouwbaarheid dezer memoires kan toetsen.

Het was een heel werk. Want niet alleen moest ik al die personen uit de regelen te voorschijn halen en in alfabetische volgorde opstellen, doch daarna was ik genoodzaakt mij naar de verschillende stadhuizen des lands te spoeden, teneinde de doopregisters te lichten en de overlijdens-acten te bestuderen. Doch ook dit achtte ik nog niet voldoende. Was hiermede mijn ochtend bezet, des middags wandelde ik door de betreffende plaatsen op zoek naar oudste inwoners. Vele zijn de gegevens welke ik op deze manier verzamelde, en elk daarvan deed mijn bewondering groeien voor de nauwgezetheid waarmede mijn oude vriend in zijne papieren te werk ging.

Talrijk bleken voorts de aardige anecdoten, die in de volksbuurten van Dordrecht, Leiden en Gouda omtrent zijn beminnelijke figuur nog steeds de ronde doen, doch het zou de grenzen mijner doelstel-

ling overschrijden hiervan op deze plaats gewag te maken.
Zie hiervoor het voortreffelijke werkje van den groten Bas-kenner Dr L. Simons: „Mondelinge getuigenissen omtrent Pieter Bas," of de laatste hoofdstukken uit zijn standaard-werk: „Leven en werken van minister P. Bas."
Een eervolle plaats onder de Basserologen heeft zich voorzeker ook Dr J. Windschot veroverd met zijn boek: „Gedachten en Beschouwingen omtrent Pieter Bas door een Tijdgenoot," terwijl het raak geschreven werkje van Mr J. Hilleman: „Pieter Bas. Zijn beteekenis vanuit juridisch standpunt," in een lang gevoelde behoefte voorziet. Verwijzen wij nog naar enige zijdelingse bronnen, zoals „Het middelbaar Onderwijs gedurende de laatste oorlogsjaren" van Feitema en het totaal uitverkochte „De Onderwijswetten van 1917 en 1918. Hun Groei en Beteekenis" door Dr N. Biervliet, dan menen wij ook het meer wetenschappelijk gedeelte onzer lezers enige bevrediging geschonken te hebben.

P. S. Bij nader inzien moest ik de alfabetische lijst tot later uitstellen. Het spijt mij, doch het was te hard, dat rangschikken van al die arme, dode mensen, die zo ijverig hun best hebben gedaan om indrukwekkend voor den dag te komen en die nu totaal vergeten zijn, neen, neen, ik kan er niet tegen. Nu neem ik afscheid van U. Blijft rechtop staan en verliest den moed niet. En als het bitter wordt, denkt dan af en toe aan Zijne Excellentie, die het misschien bitterder gehad heeft dan U, maar het verdriet niet wilde zien en het toen ook niet zag. Wat er ook gebeure, de zon blijft opgaan, de bloemen springen open in het voorjaar, de bijen gonzen, de vogels zingen, en de kleine kinderen zullen altijd weer blij en onschuldig geboren worden. Op al deze dingen, en op nog zoveel wonderen meer, kunt ge *vast* rekenen. Het is zo. Ik groet U, ik groet U!

EINDE

BERICHT BIJ DEN TWEEDEN DRUK

Vrij spoedig na het verschijnen van den eersten druk bleek een tweede druk wenselijk. De eer, hierdoor aan den schrijver gebracht, straalt ook een weinig af op den verzamelaar. Niemand kan dit ontkennen. Ik neem deze kleine hulde in ontvangst. De enige schaduw in deze vreugde is de gedachte dat de man, wien zij geheel en àl geldt, reeds sinds een jaar in 't koele graf rust. Nog gisteren bezocht ik den eenvoudigen zerk. Ik was er niet alleen. Er waren twee heren en vijf dames. Zij allen weenden. Ik zeide: „Ween niet! Hij leeft nog. Er komt een herdruk." Hierop hebben wij samen een glas Dordts bier gedronken aan het Beijerse Veer. Het werd een vrolijke middag. Doch dit alles doet hier niets ter zake.

Uitgenomen enkele komma's heb ik in het handschrift generlei verandering aangebracht.

Mijn bijzondere dank gaat uit naar het bekende genootschap „De Rijnlandsche Academie" te Haarlem, en inzonderheid naar twee der meest eminente leden uit het Dagelijks Bestuur. De waardevolle wenken (zowel op financieel als letterkundig gebied) die zij zo goed waren te verstrekken, brengen den verzamelaar ten hunnen opzichte in een schuld, tot welker aflossing de opdracht dezer papieren niet genoegzaam kan zijn. Moge zij nochtans aanvaard worden.

G. B.

13 December 1937.

BEMERKING BIJ DE ILLUSTRATIES

Van verschillende zijden bereikten ons verzoeken en vragen of het vruchtbaar leven van Zijne Excellentie geen sporen heeft achtergelaten in de beeldende en fotografische kunsten omstreeks de eeuwwende. Daar de verzamelaar dezer memoires reeds de handen vol had aan de ordeloze papieren en notities, heeft hij aan den president der grafische faculteit van de Rijnlandsche Academie opgedragen hiernaar een onderzoek in te stellen. De bronnen hiertoe nagezocht waren talrijk. Allereerst richtte ik mijn aandacht op het Dordtsch gemeentearchief, waar de ambtenaren mij zeer ter wille waren. Voor den studententijd van Zijne Excellentie vond ik de gegevens in de „Almanach des Etudiants de Leyde", Jaargang 1870. Het spreekt vanzelf dat een zo openbaar persoon als de minister niet aan de stift der politieke caricaturisten kon ontkomen. Vooral „De Lantaarn" bevat fraaie caricaturen op dezen staatsman, gedurende zijn eerste ambtsperiode in 1907. De vermaarde tekenaar Heinrich Prik was het felst op Zijne Excellentie gebeten. Aan deze even onbegrijpelijke als laakbare omstandigheid dankt de vaderlandse kunst niettemin enige van haar beste satyren. Verder meen ik den hartelijksten dank te moeten uitspreken aan den heer Pieter Schaerbeke Jr., een familielid van Pieter Bas' moeder, die zijn fotografieën en daguerrotypen-album voor mij openstelde. Alle prenten zijn dus volkomen authentiek en historisch betrouwbaar, uitgezonderd de schets van notaris Niekerk, in zijn onderbroek door de Veerstraat wandelend. Daar de familiearchieven begrijpelijkerwijze den notaris in dezen toestand niet kennen heb ik, op aanwijzing van den auteur en met behulp van oude gegevens een reconstructie van deze jammerlijke misstap gemaakt. Ik had bij de talrijke portretten van den notaris in ambts- en galacostuum niet anders te doen dan de broek weg te denken, wat, mijn verbeeldingskracht aanvankelijk te boven gaande, mij tenslotte toch gelukt is. Daar al deze onderzoekingen binnen den tijd van drie dagen gereed moesten zijn, bied ik het resultaat den lezer aan onder beding van enige welwillendheid.

H. L. Prenen.

FRAGMENT
UIT HET TWEEDE DEEL VAN
PIETER BAS
(OP VOORHAND)

„DOUCE OMBRE"

...Goed, wij zijn getrouwd, en de huwelijksreis is ook achter den rug. En nu gaan wij ons huisje betrekken. Het is een verbazend lief huisje. Zo'n huisje bestaat nergens ter wereld: rode dakpannetjes, een groen luifeltje, een gouden weerhaantje, een grijs regentonnetje met een rood biesje er omheen. Het is waar dat men zich een weinig moet bukken om door het deurtje te komen, maar welk huisje heeft niet zijn ongeriefelijkheden? En het is misschien ook wel waar, wat Delsing zegt, dat het plafond „bliksems laag" is en de kamertjes „verduiveld nauw" zijn, maar is dat juist niet aardig? Woont niet het geluk evengoed in de kleinste stulp als in het kostbaarste paleis? Tante Dorre heeft het in ons album geschreven:

In 't kasteel en in de hut
Zij de liefde U tot stut.
Knoopt dit, kinders, in uw ooren,
Die 't U zegt, is tante Dorre.

Het laatste rijm is enigszins twijfelachtig, doch tante Dorre heeft er een volledig zilveren theeservies bij gegeven, en dan moet men wat door de vingers zien. Zodra ben ik niet in de goede stad Dordrecht aangekomen, of ik snel er heen om den stand der werkzaamheden op te nemen. De schrik slaat mij echter om het hart. „Douce Ombre" is als een mugje, gevangen in een spinrag van steigers, palen en planken. Schilders en timmerlui lopen af en aan. Over het dak kruipt allerlei gespuis met petten op en bretellen aan. De ramen zijn met witte kalk gesmeerd, waarin bedenkelijke poppetjes zijn getekend door den lood-

gieter. In het kleine tuintje lopen geweldige voetsporen als van een losgebroken rhinoceros.
„Maar het zou toch met Pasen klaar zijn?” vraag ik aan een man die hier de leiding schijnt te hebben. (Hoe verblijd voel ik mij in de rol van verbolgen huiseigenaar!) Tja, de man weet het ook niet. Doch de opperbaas weet er alles van. De opperbaas is de enige, die met een bolhoedje op werkt. „Tja,” zegt hij en neemt het bolhoedje af, uit respect voor mij, „wat zal ik U daarvan zeggen, meneer.” Doch verder zegt hij niets.
Maar eindelijk, eindelijk is het dan zo ver. De steigertjes vallen weg, het werkvolk druppelt af. Hier en daar vind ik nog iemand over den vloer kruipen, als een verlaat insect. Het huis is nu gereinigd. Het ruikt er naar verf, kalk en teer. Blank zijn de vloeren, wit de muren, en zegt men zachtjes „hm!” dan klinkt het tegen ’t plafond.
Nu komt er een man, die de kamers gaat meten voor de vloerkleden, een man die het gas komt aanleggen, een man voor de waterleiding. En langzamerhand raakt ons huisje weer vol met ernstig kijkende, spijkerende mensen. Af en toe kom ik er een op de gang tegen, die met één oog dicht langs den muur kijkt, door het holletje van duim en wijsvinger en met de linker hand zwijgend „weg, weg!” naar mij wenkend. Er lopen zelfs mensen rond die alleen maar hun hoofd schudden als ik hun iets vraag, want zij hebben hun mond vol spijkertjes.
Ik heb een conferentie met den „tuinarchitect”. Hij heeft „in het buitenland” gestudeerd. Wij lopen op en neer in ons tuintje, met de handen op den rug. Het blijkt verbazend te zijn wat men met zes vierkante meter grond kan doen. Er zal een vijver komen, een rotspartij en een zonnewijzer. Of er dan nog een

plekje over is om de krant te lezen? Ik vraag het schuchter, want ik voel heel goed dat deze vraag den kunstenaar pijn moet doen. Een tuin is niet om in te zitten, zegt hij bars, een tuin is om naar te kijken.
Ook de man die over het behang gaat wil mij „eventjes apart spreken". Of ik weet dat de muren scheuren? Allemachtig, wat zegt u daar? Ja, komt u maar 's eventjes mee naar boven. Ik klim schuldbewust achter hem aan de trap op; er is werkelijk een barstje te zien in den muur van de slaapkamer. Ik knijp één oog dicht: ja, nu zie ik het duidelijk. „Daar kan ik niet op werken," zegt de man van het behang, en daalt als een gekwetste Rembrandt de trap af.
Nieuwe moeilijkheden! Maar wij komen er doorheen; hoe, dat weet ik niet, maar op een dag staat ons huisje daar, met vloerkleden, gas en waterleiding. Het schijnt zachtjes te hijgen. Hoe ordelijk wordt het al. Er zijn zelfs hoekjes waar het al een beetje gezellig begint te worden en daar sta ik mij dan tersluiks even te verkneukelen.
Maar mijn rijk loopt ten einde. Er komen vrouwen over de vloer, met dweilen, bezems, stoffers en ragebollen. Mijn eigen Catharina is daaronder, schier onherkenbaar door een grote, witte stofdoek om haar hoofd. Ik begin kennelijk in den weg te staan, en beperk mijn inspecties tot tweemaal in de week „even kijken." Ontzettend is de chaos. Grote stofwolken slaan mij door de vensters tegen, als ik het tuinpad betreed. „Opzij! Opzij!" roept ieder mij toe. Menselijke wezens met matrassen op hun hoofd en een kussen onder iederen arm, strompelen mij voorbij. Mijn schoonmoeder staat boven op een ladder en ziet met wantrouwende blik op mij neer. „Opzij!" roept zij, alhoewel ik haar helemaal niet in de weg loop. Catharina kom ik tegen in het gangetje. Zij heeft een soort

tulband op het hoofd en loopt samen met twee werksters onder een canapé. Zij schudt zwijgend van „neen" als ik haar toelach.
Maar de datum is daar! De datum waarop wij ons huisje zullen en moeten betreden: de 12e Mei. Zo is het bepaald en zo zal het gebeuren, of het af is of niet. (Het is niet af). Wij vertrekken. Grootse omhelzingen vinden plaats in het ouderlijk huis van Catharina.
Notaris Dorre, de krachtige man, schreit; hij begeleidt ons tot aan den drempel van het vaderhuis, waar Catharina groot is geworden en blijft met een grote, witte zakdoek nog een volle minuut staan wuiven. Wij hebben een gevoel alsof wij naar de Balkan vertrekken. Maar Goddank, mevrouw Dorre gaat mee en zal de eerste maand bij ons inwonen. Zij kent het leven. Men hoeft haar niets meer te vertellen. Vijf en twintig jaren lang is zij getrouwd geweest met notaris Dorre, en zij weet wat er te koop is. Ik weet het niet; ik ben slechts een man. Bovendien heb ik twee jaar geleden in „De Gids" een gedichtje geschreven, en ben dus een dichter, een zwevende geest, iemand die van het werkelijke leven geen vermoeden heeft.
Eerlijk gezegd: ik ben een beetje bang voor haar. Aristoteles mag veel weten, mevrouw Dorre weet meer. Doch haar kennis heeft iets vreesaanjagends. De grote Stachiriet opende argeloos zijn hart en hoofd in de boeken, die hij ons naliet; de kennis van mevrouw Dorre echter mag men slechts vermoeden, men kan die slechts gissen in haar meewarig glimlachje, wanneer ik haar voorstel om de piano iets naar den muur te verschuiven of wanneer ik meen dat de Chinese kast een tikje naar links kan worden geplaatst. Zelden spreekt zij mij tegen; doch zij luistert naar mijn opwerpingen met de aandacht, waarmede men naar het

gesnap van een kind luistert, terwijl zij af en toe een schalksen blik naar de aanwezigen werpt, als om hen te doen delen in dit aardig toneeltje. De natuur heeft dezen groten geest met een krachtig omhulsel willen beveiligen; ja, wanneer zij rechtop staat in onze kleine zitkamer, gevoel ik neiging om mij tegen den muur te drukken en om hulp te roepen. Doch zij meent het goed met ons en spreekt als haar voornemen uit dat zij alles eens „stevig op poten zal zetten". Het jonge volk, zo spreekt zij, weet van geen toeten of blazen; daar moet krachtdadig ingegrepen worden, wil het geen huishouden van Jan Steen worden.
„Waar is de latafel?" zo vraagt zij, met een vreselijke begeerte om aan te pakken en er geen gras over te laten groeien. „Wij hebben geen latafel," zegt Catharina bedremmeld.
Mevrouw Dorre kijkt haar dochter in zwijgende ontzetting aan. Dan wendt zij den blik naar mij. Ik gevoel het duidelijk, ik zie het aan haar blik: wij zijn verloren. Mensen die de wereld ingaan zonder latafel, staan ten dode opgeschreven. Maar het is nog te redden. Ik bestel onmiddellijk een latafel, en de aanblik van dit meubel doet mevrouw Dorre zichtbaar goed. Zij herstelt zich en werpt nieuwe blikken in het rond. Er blijkt niets te zijn van wat er wel, en van alles wat er niet had moeten zijn. Wij horen mevrouw Dorre over den zolder lopen, wij horen haar den W.C.-trekker proberen, wij horen haar alle kasten openen en sluiten, wij horen haar medelijdend lachje zelfs in den kelder, die te klein is of te groot, dat herinner ik mij niet meer. Soms, bij een al te belangrijke ontdekking, verschijnt zij plotseling in mijn kantoortje. Haar gelaat is ernstig. „Weet je, mijn beste," zegt zij, „dat jullie kranen druppelen?" of „Weet je dat de kastdeuren piepen?" Meestal zeg ik dat ik het niet

weet en meestal weet ik het ook niet. „Het is zo,” besluit zij, „zij druppelen” of „zij piepen”. Het volgend ogenblik is zij verdwenen om mij met dit vreselijk bericht alleen te laten.
Er viel een gedrukte stemming over ons kleine huishouden. Het kwam zo ver dat Catharina uit eigen beweging planken begon te ontdekken die loszaten en scharnieren die knarsten.
Mij zelf kwamen de keukengordijntjes reeds niet meer zo onberispelijk gesteven voor. Wij werden critisch ten opzichte van ons eigen huisraad, het ergste wat een jong getrouwd paar kan overkomen. De liefde is immers blind, en zodra zij vlekken ontdekt in het behang, zal het niet lang meer duren of zij ontdekt ze ook in den geliefde.
Deze overweging was het misschien, die Delsing ertoe bracht in te grijpen. „Die vrouw moet de laan uit,” aldus luidde zijn kernachtig oordeel.
Wij begonnen verontwaardigd te protesteren, ik, omdat Catharina er bij was en Catharina waarschijnlijk omdat ik er bij zat, doch Delsing hield voet bij stuk, en kreeg haar inderdaad „de laan uit”. Hoe hij dat klaar speelde, Delsing heeft het nooit willen vertellen. Alleen dit weet ik, dat zij beiden in het keukentje een twistgesprek voerden en dat Oppentroodt in de kamer daarboven met zijn oor op het tapijt lag en ons telkens met glinsterende ogen verzekerde, dat hij nog nooit zoiets schitterends gehoord had. Zij vertrok dienzelfden avond nog. Catharina kreeg een zoen, ik een knikje, de voordeur een geweldigen slag.
Mijn twee vrienden, Rob Delsing en Simon Oppentroodt namen onmiddellijk haar plaats in; een dag later kwam daar nog bij Maria van Wessenich, een vriendin van Catharina. Het werd een vrolijke tijd. Ons huisraad was opgebouwd uit de meest onprac-

tische huwelijkscadeaux die men zich denken kan: een vergulde vogelkooi van tante Jacoba, een geweldige Oost-Indische palm van oom Theodoor (kapitein ter zee), een verschrikkelijk zeldzaam grijs aapje van een neef uit China, twee echte Russische samovars van tante Hélène, die waarschijnlijk ook nooit geweten heeft wat zij daarmee doen moest, en wat Rob Delsing betreft, die had een zeldzame goudvis gegeven, met een blauwen staart en grote, verbaasde ogen. Dat waren allemaal wel heel aardige dingen, maar toen wij onze eerste huiselijke boterham wilden eten, waren wij verplicht dit te doen met drie messen, twee vorken en vijf soepborden. Toch, en misschien juist daarom, hadden die eerste weken hun eigen bekoorlijkheid. Ons huis geleek veel op een openbaar veilingslokaal: karpetten stonden opgerold tegen den muur, grote lampekappen en candelabres stonden „voor zolang eventjes" op mijn bureau, en er was, om de een of andere onnaspeurlijke reden, een wastafel naar de salon afgedwaald en wij hadden het te druk en waren te vrolijk om dat ding weer naar boven te hijsen. De huiskamer was helemaal iets wonderlijks. Oorspronkelijk was het de bedoeling van Catharina geweest haar in Empire-stijl te meubileren, doch halverwege waren er enige Louis Quatorze meubelen ingeslopen van haar Vader en enige fauteuils van ons thuis, en nu geleek het wel wat op een verward museum, waarvan de bewakers op vacantie waren.

Doch wat het meest tot de verwarring bijdroeg, dat waren wijzelf... Wij zaten elkaar achterna in het tuintje, bakten spiegeleieren op het balconnetje, en renden de trappen op en af met lopers, behangrollen, vloerkleden en wasemmers. De enige, die in die dagen zijn verstand, of althans zijn onverstoorbaarheid bewaarde, was de goudvis. Hij zwom ernstig op en neer en wierp af en toe een zijdelingsen blik door het glas... Was het een vermaning, een stille afkeuring? En zo was dan mijn leven als echtgenoot en gezinshoofd begonnen. Doch daarover nu nog niet! Eerst dopen wij de veder opnieuw in het inktvat en vangen een nieuw hoofdstuk aan over een gans andere zaak...

UIT DE MEMOIRES VAN Z. EXC. MINISTER PIETER BAS

GETROUW VERSLAG DER POLITIEKE VERGADERING TE BRIELLE

Er waren vijfduizend mensen opgekomen. Daar de zaal slechts aan drieduizend plaats bood, kan men zich gemakkelijk het gedrang voorstellen. Ik keek door een gaatje van het neergelaten gordijn en zag met eigen ogen hoe een dikke groentevrouw, in de veronderstelling dat zij platgedrukt zou worden, hare beide mollige armen opstak en luide om hulp riep. Een ogenblik later werd zij op een plank, met de voeten naar voren, de zaal uitgedragen, waardoor er minstens drie plaatsen vrijkwamen. Ik verheugde mij hierom hartelijk, want het huidige kiesstelsel kent aan iederen Nederlander slechts één stem toe, ook al zou hij drie stoelen in beslag nemen.

De zaal was zeer opgewonden; het linker gedeelte bestond uit lieden, die met onblusbaren ijver „Hoera Bas!" schreeuwden, terwijl de rechterkant werd ingenomen door kiezers, die de vreselijkste verwensingen over mij afriepen. Beide partijen waren in ongeveer even groten getale opgekomen. Hurrelbrinck's propagandisten *) zaten aan beide kanten op de voorste

*) Noot van den verzamelaar dezer papieren:
In den verziezingsstrijd onderscheidt men in Nederland de volgende mensen: dengene die eenvoudig bereid is U te kiezen: zo iemand heet een „stem", of, in tijden van spanning, een „volle stem", en dengene die zich nog op andere wijze voor U wil inspannen: dit is een „propagandist". Men onderscheidt „plak-

rijen, met zeer sombere gezichten, en allen met een klein groen vlaggetje in de hand, waarvan ik op deze afstand het opschrift niet lezen kon. Delsing verzekerde mij dat er „Naar Den Duivel Met Bas" en „Weg Met Dien Volksverrader" op stond, doch voegde er aan toe dat het niets te betekenen had.
Dwars over de zaal hing daarentegen een reusachtig doek gespannen: „Hup Bas!" stond er op. Dat deed het geweldig goed. Op de plaatsen waar het doek aan den muur bevestigd was, stonden mijn propagandisten te praten en sigaren te roken om het doorsnijden der touwtjes te beletten.
Plots schoot mij een brok in de keel: daar, op de achterste rij, ontdekte ik mijn oude kindermeid, die in haar onervarenheid midden tussen een groep Hurrelbrinckianen was gaan zitten. De goede ziel hield een wit bord-met-opschrift aan een langen paal omhoog en wierp woedende blikken om zich heen. Het was een ontroerende aanblik.
En zie, bij dien pilaar, schier onzichtbaar door de sigaren-damp, zat Catharina, met de kleine Thorbecke op haar schoot. Zij zag bleek.
Ik wendde mij af en liep op en neer over het podium. Over tien, misschien vijf minuten stond ik daar, op het cathedertje in den hoek, de menigte toe te spreken. Of zou mijn tegencandidaat misschien het eerst aan

---

kers" en „kalkers". De „plakker" plakt uw naam en alles wat gij belooft op schuttingen en muren. Dit mag, en geschiedt des daags. De „kalker" schildert uwe verdiensten met witte kalk op het plaveisel. Dit mag niet en geschiedt des nachts. Beiden soorten zijn uiteraard zeldzaam, en worden bijeengehouden in „Propaganda-Verenigingen" of „Verenigingen van propagandisten" met een eigen kas. Is er na den verkiezingsstrijd nog wat over, dan heet dit de „pot", waardoor dan een „dagje" uit of „uitje" mogelijk is.

het woord zijn? Ik trok het programmaboekje uit mijn vest en wierp een blik op de voorpagina. Neen, ik sprak het eerst. Daarna zou Hurrelbrinck het woord voeren. Aanvang 8.15. Tijdens de pauze opluistering door de Christ. Hist. Harmonie „Tot Wederzijdsch Genoegen". Men wordt verzocht niet te roken.

Daar steeg een rumoer achter het gordijn op, aanzwellend tot een krachtig applaus. Ik snelde naar het gaatje. Het Bestuur was binnengekomen, met Hurrelbrinck in hun midden. Zij zetten zich achter een groene tafel en begonnen glimlachend onder elkaar te schertsen om te tonen hoezeer zij op hun gemak waren. Alleen de geachte lezer die zelf wel eens achter een bestuurstafel voor een volle zaal heeft gezeten, weet hoe onnoemelijk zwaar dit valt. Bij mijn weten is hier nog niemand ooit in geslaagd. Hurrelbrinck zelf bracht het er tamelijk ver in. Hij zat, met zijn benen over elkaar en licht terzijde leunend, met den penningmeester te praten, werkelijk zo te praten alsof hij er helemaal in was; de rechterhand bracht rustig (iets te rustig) de sigaar af en aan naar zijn mond, terwijl de linker losjes (iets te losjes) met een lorgnon speelde; en dit alles had werkelijk den schijn alsof hij in het geheel niet dacht aan de rede die hij houden moest, ja, zich zelfs niet bewust was dat men naar hem keek. Een gevaarlijk tegenstander. Eenmaal zette hij zijn lorgnon in het oog, keek naar het doek met „Hub Bas", schudde het hoofd, zette zijn lorgnon af, fluisterde den penningmeester iets in het oor waarop zij samen glimlachten. Een zeer gevaarlijk tegenstander. Plotseling stond de voorzitter op, sloeg met den hamer op tafel en verklaarde de vergadering voor geopend. Hij verzocht de geachte aanwezigen om met hem het bondslied aan te heffen. Terwijl hieraan met groot enthousiasme voldaan werd, schoot ik den orkest-bak

in en holde de rook-gang door naar den ingang van de zaal. Want Delsing had mij aangeraden om halverwege het tweede couplet de deuren open te gooien en, enigszins gejaagd, door het middenpad naar mijn plaats aan de bestuurstafel te lopen. Wanneer ik dit juist op tijd en met flink opgeheven hoofd deed, scheelde het zeker honderd stemmen, meende hij. Ik voor mij was liever plotseling van achter het gordijn het trapje afgedaald, doch hij achtte dit te blufferig.
Daar kwam het:

„Wij lopen fiks en welgezind
achter ons strijdbanier.”

Bom! Open vloog de deur en daar stapte ik, fiks en welgezind, door het middenpad voorwaarts, het hoofd kloek omhoog en de kraag van mijn regenjas opgeslagen, alsof ik zojuist van een vorige vergadering kwam. De uitwerking was overweldigend. De ene helft van de zaal bleef verbaasd in haar lied steken, de andere barstte in een oorverdovend gejuich uit. „Hoera! Bas! Bas!” Ik hing mijn jas aan een haakje, drukte alle bestuursleden de hand, en zette mij tussen den voorzitter en den secretaris. Enige seconden voor het tijdstip, waarop ik vermoedde dat het gejuich mijner aanhangers zou afnemen, hief ik zelf, hoofdschuddend glimlachend, de hand op om hen tot kalmte te manen. De voorzitter heette, en hij meende uit naam van de ganse vergadering te spreken, de beide sprekers van dezen avond hartelijk welkom. Hij behoefde hen niet aan de geachte vergadering voor te stellen. Hun faam was hun reeds lang vooruit gegaan (Hurrelbrinck schudde nederig het hoofd). Neen, neen, hij liet zich hiervan niet afbrengen, het was een eer voor de stad Brielle twee zulke mannen binnen hare veste te her-

bergen. Hij zag ervan af te beslissen wie van beiden de grootste was. Het was niet aan hem dit uit te maken. Dit was de taak der vergadering. Zij mocht uitmaken wie hare belangen in de Kamer zou verdedigen, Bas of Hurrelbrinck. En hier viel duidelijk het grote voordeel der democratie in het oog. Er waren landen, hij wilde ze niet noemen, waar het parlement slechts een wassen neus was, aangebracht op het gelaat van den waren machthebber. Er waren zelfs landen, waar in het geheel geen parlement was; waar de inwoners overgeleverd waren aan de macht en de willekeur van den enkeling. Hij wilde geen namen noemen. Doch niet alzo was het in ons gezegend vaderland. Zeker, het vaderland had ook gebreken. Hij kon daar nu niet nader op ingaan. Doch het had het algemeen kiesstelsel. Het was hier, zo hij een wat kloek doch aan de streek aangepast beeld mocht gebruiken, gelijk het op de veemarkt van Gorkum was. Er stonden daar vele runderen. Men koos het beste. De heer Bas had treffelijke kwaliteiten. Hij wilde ze nu niet opsommen. Doch ook de heer Hurrelbrinck had uitstekende hoedanigheden. Hij ging daaraan nu voorbij. Doch wat het zwaarste is, moet het zwaarste wegen. Meende de geachte vergadering dat Bas zwaarder woog, dan moest zij Bas kiezen. Dacht de vergadering daarentegen dat Hurrelbrinck zwaarder was, dan moest zij Hurrelbrinck kiezen. Hij meende dat hiermede het dilemma zuiver gesteld was. Had misschien iemand van de aanwezigen nog op- of aanmerkingen? Dan verleende hij hierbij het woord aan den heer Bas.
Ik stond op en besteeg het catheder. Aanstonds begon de linkerhelft van de zaal te juichen en de rechter te loeien. Terwijl ik wachtte tot het rumoer bedaard was, steeg er een lichte wroeging in mijn hart op. Was ik niet schuldig aan de tweedracht dezer lieden? Zonder

mij zaten zij nu eensgezind in hunne café's bier te drinken en bij hun kachels kousen te stoppen. Nu stonden zij dicht opeengedrongen in een rokerige zaal, met den adder der tweedracht in hunne harten. Doch dan bedacht ik: als ik hier niet stond, zou een ander hier staan. Er moest een candidaat zijn. En als er geen verkiezingstijd was, zouden zij een andere reden gevonden hebben om in een benauwd lokaal op hun beginselen te staan. Het zit in het volk gebakken. Het is de behoefte van een al te rustig ras in een al te rustig land, om althans elke vier jaar twee weken onrustig te zijn.
Toen het stil was, haalde ik mijn horloge uit en legde het voor mij op den lessenaar. Daarna plaatste ik de vingertoppen tegen elkaar en zeide dat de inwoners van Brielle mij altijd bijzonder na aan het hart gelegen hadden. Nooit kwam ik deze stad voorbij, of een gevoel van behaaglijkheid overviel mij, een gevoel van: „hier ben ik thuis". Het kon zijn dat dit de stem des bloeds was. Een broer van mijn grootvader had hier immers een kwekerij gehouden. Doch het kon ook zijn, en ik hield dit voor meer waarschijnlijk, dat het de stem des geestes was, wijl de beginselen, die de inwoners van Brielle voorstonden en liefhadden, ook mij dierbaar waren. Ja, het was de roep des geestes. Nooit kon ik, over het heldere plaveisel van Brielle voortstappend en hare propere geveltjes en stoepjes beschouwend, nalaten den man te benijden die de belangen van deze mensen in 's lands parlement mocht verdedigen. Nu stond ik op het punt die man te worden. Was het wonder dat de ontroering mij schier de keel toesnoerde?
Op dit punt aangekomen werd de doodse stilte jammerlijk verbroken door het geschrei van een kind, achter in de zaal. Er stak enig rumoer op, vermengd

met onderdrukt gelach. Ik beduidde den voorzitter met een blik om in te grijpen. Deze stond nu recht en vroeg:
„Wie riep daar?"
„Bèèèèè!" zei het kind.
„Het is een kind!" riep een stem.
Voorzitter: „Gooi dan dat kind 'r uit!"
Stem: „Jawel, maar het is z'n eigen kind!" (gelach).
Ik zag in de verte het rode gezichte van mijn kleine Thorbecke. Beneveld door den sigarendamp en niet in staat het grote gewicht van zijn vaders woorden te beseffen was het kind gaan schreien. Mijn kamerzetel wankelde. Het was erop of eronder. Snel hief ik de hand op. „Ik begrijp de objectie van het geachte lid van zoëven niet. Artikel 10 van het reglement zegt: Wie de vergadering door geschreeuw verstoort, of anderszins blijk geeft van vijandige bedoelingen, moet, op sommatie van den voorzitter, de zaal verlaten. Of de querulant in quaestie mijn eigen kind is, doet niets ter zake. Ik ken geen onderscheid des persoons."
Deze onpartijdige woorden verwekten een oorverdovend applaus; er waren zelfs enige Hurrelbrinckianen, die zwakjes met hun vlaggetjes zwaaiden. Het kind werd door een mijner propagandisten verwijderd en ik vervolgde mijn rede.
Het was, zo sprak ik, gaandeweg gewoonte geworden het kiezersvolk van alles te beloven. Ik beloofde evenwel niets. Het zou mij gemakkelijk genoeg vallen om welvaart en een groot inkomen aan ieder van de aanwezigen voor te spiegelen. Doch ik voor mij prefereerde boven den man die schatten beloofde, dengene die zorgde dat die schatten er ook inderdaad kwamen (applaus). Ik was een tegenstander van armoede. Het kwam mij voor, dat ieder burger recht had op een huis met een voor- en een achtertuin, een balkon,

vrouw en kinderen, vier ramen aan de straatkant en een behoorlijk inkomen (applaus). Wat het belastingheffen betreft, dit was een noodlottige gedachte geweest. Zij berustte op de merkwaardige mening dat men de mensen geld af moest nemen. Het ware staatsmansbeleid daarentegen is er juist op gericht den mensen het geld in handen te geven (applaus). Indien men mij antwoordde dat de financiën des lands dit niet gedoogden, dan zou ik antwoorden dat de financiën des lands dan herzien moesten worden. Indien men zou opwerpen: Maar hoe? dan zou ik antwoorden: Door op lijst 5 te stemmen (toejuichingen).
De aarde was een dal van ellende. Indien de schuld hiervan niet aan de nalatigheid of onachtzaamheid der mensen zelf te wijten was, ware het besef dezer ellende te dragen. Doch nu zij moest toegeschreven worden aan de eenvoudige weigering van een deel der mensheid om op lijst 5 te stemmen en ons partijprogramma in te zien, nu was die gedachte ondraaglijk. Ik wist dat de beginselen van dit programma ook verdedigd werden door den heer Hurrelbrinck. Dat ik den heer Hurrelbrinck hoogachtte (applaus). Dat ik niet behoorde tot dat soort van lieden, die hunne tegenstanders belachelijk maken of in discrediet trachten te brengen. Dat dit mij gemakkelijk genoeg zou vallen (toejuichingen en gefluit). Dat het een klein kunstje zou zijn om aan de hand van de talrijke flaters, die de heer Hurrelbrinck in de gemeenteraad van Gouda geslagen had, mijn toehoorders voor de vraag te stellen: En aan zo'n zwetser zoudt ge uw stem geven? (rumoer). Dat ik hiervan evenwel afzag, eensdeels omdat zulk een methode beneden mij lag, anderzijds wijl ik de veronderstelling mocht koesteren, dat de geachte toehoorders uit zichzelf wel een kundig man van een knoeier konden onderscheiden.

(Bij deze woorden zag ik den heer Hurrelbrinck purperrood worden, opstaan, en iets naar den voorzitter schreeuwen, wat echter door het tumult niet verstaan werd).

Voorzitter: „Stilte!"

Hurrelbrinck: „Meneer de Voorzitter! Indien die kerel..."

Voorzitter: „Stilte, mijnheer Hurrelbrinck! Ik kan geen interrupties toelaten."

Hurrelbrinck: „Maar moet ik dan toelaten..."

Voorzitter: „Stilte! Dadelijk hebt *U* het woord en kunt *U* zeggen wat *U* wilt. Nu is de heer Bas aan het woord. Meneer Bas wilt U doorgaan?"

Ik nam, innig voldaan met den loop die de gebeurtenissen tot nu toe genomen hadden, een slokje water en keek op mijn horloge...

Hier brak het handschrift, tot onze diepe ontzetting af. Het hoeft wel geen betoog, dat wij letterlijk het onmogelijke gedaan hebben om het ontbrekende op te sporen. Tevergeefs. Noch in zijn bureau, noch in een der vier koffers waar de Basserologische papieren tijdelijk door de erven zijn ondergebracht, was het bijpassend gedeelte te vinden. Wij hebben toen een bad en den trein naar Brielle genomen (beide op kosten van het C.U.B.) *) en aldaar een zonnige Woensdagmiddag doorgebracht met het uitzoeken van de notulen der betreffende Vereniging. Dit offer werd beloond. Het stemt ons tot grote voldoening in staat te zijn, om aan de hand van het verslag, door den volijverigen secretaris destijds opgemaakt, dato 12 Januari 1907, den lezer een zij het zwakke reconstructie aan te bieden van het verdere verloop dier merkwaardige vergadering. Het verslag is in duidelijk schrift opgesteld; de punten

*) Comité voor de Uitgave der Bas Papieren.

en komma's zijn zeer juist, en met grote zorg aangebracht, terwijl de toon van het geheel, hoewel de schrijver noodzakelijk tot een der beide partijen moet behoord hebben, van strikte onpartijdigheid getuigt. Wij kunnen dan ook niet nalaten hulde te brengen aan den thans ontslapene *) door wiens nauwgezetheid het mogelijk geworden is het beeld van den uitnemenden man, gelijk het uit zijn eigen onnauwkeurige notities slechts gehavend omhoog rijst, te volmaken en bij te vijlen.
Bas keek inderdaad, gelijk wij uitdrukkelijk vermeld vonden, op zijn horloge (er staat „uurwerk") en vervolgde zijn rede met nog meer vuur dan tevoren. Breed weidde hij uit over de principiepen, die hij altijd had voorgestaan en die een zo treffende gelijkenis vertoonden met de beginselen van zijn gehoor. Geruimen tijd stond hij hierop stil bij de offers, welke deze beginselen hem gekost hadden: hij ging na, hoeveel gemakkelijker hem het leven zou gevallen zijn, indien hij het opgevat gelijk sommige beunhazen het opvatten, die wel hetzelfde partijprogramma aanhingen, doch er overigens maar met de pet naar gooiden. Hij had hierbij niemand in het bijzonder op het oog (langdurig gejuich en gefluit). Spreker schetste hierop in het kort zijn leven. In de zaal zat nog degene, die hem op de armen gedragen had (ontroering). En nog op dit ogenblik had zij hem in hare armen; hij doelde op het bord (gejuich). Hij mocht wel zeggen: zij was zijn oudste propagandiste.
Hij wilde dan zijn rede besluiten met de verklaring dat voor het heil van Brielle niets hem te veel zou zijn. Ja, indien de geachte aanwezigen, met voorbijzien zijner onwaardigheid, hem dan absoluut in de Kamer

*) De heer J. Th. Ooltgensplaat, in leven barbier te Brielle en secretaris der Kiesvereniging aldaar.

wilden hebben, zou hij ook *dit* offer aanvaarden. Na een ontroerende toespeling op het Huis van Oranje, en de herhaalde verzekering zijner onverminderde gevoelens, besloot de spreker met allen voor hun aandacht te danken.

„Verbijsterend” aldus de uitdrukking van den secretaris, was het applaus dat deze toespraak aan de Bassianen ontlokte. De heer Bas werd op de schouders van een zijner propagandisten driemaal de zaal rondgedragen, waarna hij afsteeg en zich minzaam onder de aanwezigen mengde. Als een bijzonder ontroerend moment tekent de secretaris hierbij het ogenblik aan waarop Bas zijn oude kindermeid ontmoette. De omstanders ontblootten eerbiedig het hoofd.

In de Pauze, welke de beide sprekers scheidde, speelde de christelijk-historische harmonie het bondslied en de B. V. H.-marsch. *) Diegenen onder de propagandisten waarvan vermoed werd dat zij vijf of meer stemmen voor Bas hadden aangebracht, werden één voor één aan hem voorgesteld; hij drukte hen ieder afzonderlijk de eeltige werkmanshand. Hurrelbrinck daarentegen reikte aan twaalf zijner meest verkleefde plakkers een plaquette met opschrift over; bovendien ontving de heer Simons, die in zich de kwaliteiten van

*) Hier stuiten wij op een duistere plaats in het overigens zo helder verslag. Volgens een ouden inwoner, die ik hieromtrent raadpleegde, betekent het de „Brielle Voor Hurrelbrinck”-mars, en is hier dus sprake van een Hurrelbrinckiaanse melodie. Volgens een ander inwoner moet er echter „Bas Vóór Hurrelbrinck” onder verstaan worden, en hebben wij hier dus te maken met een Bassiaans propagandalied. Beide zegslieden evenwel zijn klaarblijkelijk bevooroordeeld in hunne uitlegging, als behoord hebbende tot een der twee partijen. Wij voor ons nemen daarom liever, hoe driest dit ook schijnen moge, een tussenstandpunt in, en zouden de initialen eenvoudig als de „Brielse Vaandel Hymne” willen verstaan. Geven onze mening echter gaarne voor een betere prijs.

De heer Hurrelbrinck in de Kiesvereniging te Brielle.

kalker, plakker en huisbezoeker *) verenigde, op discrete wijze een enveloppe met inhoud.
Hierna besteeg de heer Hurrelbrinck het spreekgestoelte. Wat er toen gebeurde is zeer te betreuren.

*) Huisbezoeker: dit is de zeldzaamste soort onder de propagandisten. Huisbezoekers bezoeken de kiezers persoonlijk in hunne huizen. Sommigen dringen tot in de keuken door. Zij worden gewoonlijk niet oud.

Of het was uit lage afgunst op het succes van zijn voorganger, of dat het voortkwam uit het pijnlijk besef van zijn eigen onmacht, of misschien uit de onbegrijpelijke mening dat hij door Bas ook maar enigszins in een vernederend daglicht geplaatst was, wij weten het niet, doch de heer Hurrelbrinck begon te tieren. Het doet ons pijn dezen term hier te gebruiken; wij moeten nochtans. Driemaal immers werd de heer Hurrelbrinck tot de orde geroepen. Toen echter de spreker zich niet ontzag den term „sluwe fielt" te gebruiken, wierp een der leden *), niet langer bij machte zijn verontwaardiging te bedwingen, zijn stoel naar het podium. Dit was het sein tot een algemenen opstand. Als één man rezen alle Hurrelbrinckianen op, en wierpen zich op de niets vermoedende Basserologen. „Mijne pen," aldus de secretaris „weigert het toneel te beschrijven." En hij beschrijft het dan als volgt:

„De Bassisten, een ogenblik verdoofd, sprongen van hunne zetels omhoog, en deden een beroep op den voorzitter. Toen dezes tussenkomst zich echter bepaalde tot een machteloos zwaaien met den hamer, schaften zij zich zelven recht. Vastbesloten grepen zij hunne stoelen bij de leuning en hieuwen hiermede op hunne tegenstanders in. Zij zouden echter het onderspit gedolven hebben, zo niet Bas zelf, met een lenigheid, verwonderlijk voor zijn jaren, zich in het strijdtoneel geworpen had, en, aan de spits zijner aanhangers, met opgeheven stoel op de tegenpartij was ingedrongen. Hierop daalde ook de heer Hurrelbrinck van zijn catheder af en mengde zich persoonlijk in den verkiezingsstrijd. Zonder twijfel zou deze zo hoopvol ingezette avond een noodlottig verloop gehad hebben, als niet Hoofd-Commissaris A. H. Bijltjes, vergezeld

*) De propagandist Bolle.

van drie marechaussees *) en den plaatselijken veldwachter, den heer Sneevliet, tijdig ter plaatse verschenen waren. Zij spanden een koord, aldus de zaal in twee helften verdelend, en verboden aan ieder, op straffe van zware boete, het cordon te verbreken.
Hierop besteeg de heer Hurrelbrinck, met verachting van alle menselijk opzicht (er ontbraken drie knopen aan zijn vest) andermaal het spreekgestoelte, met het oogmerk zijn rede te hervatten. Hij wees nog op de onbaatzuchtigheid, waarmede hij altijd zijn beginselen had nagestreefd, doch toen werd de herinnering aan de tonelen die zich zojuist voor zijn ogen hadden ontrold, hem te machtig. Hij zette zich neder op het trapje en barstte in tranen uit.
De voorzitter sprak vervolgens zijn voldoening uit over de trouwe opkomst, herinnerde aan het betalen der contributie, en besloot met den christelijken groet.
Hier eindigden de notulen van den secretaris. Op het stadhuisje van Brielle hebben wij nog geïnformeerd naar den uitslag der verkiezing. Het bleek dat van de 2378 Bassisten er 2378 op Bas, en van de 2592 Hurrelbrinckianen er 2592 op Hurrelbrinck gestemd hadden, een uitslag, die naar de ambtenaar mij verzekerde, al sinds 35 jaar constant is, al mogen de candidaten dan wisselen. Waaruit de ijdelheid van alle menselijk streven wederom ten duidelijkste is aangetoond. Naar men weet werd Bas door het kiesdistrict „Brielle en Omstreken" met een kleine meerderheid gekozen, en verwarmde hij gedurende 4 jaren een kamerzetel, ten profijte van zijn gezin, tot nut van het vaderland, en tot onsterfelijken roem voor zichzelf.

*) De heren L. Wijnandts, Th. Scheffer en A. Blomvliet, waarvan de laatste nog in leven is in het Oude Mannen Huis te Brielle.

KLEINE MISSIVE

Aan den heer Godfried Bomans:
Algemeen President der Rijnlandsche Academie.

MIJNHEER DE PRESIDENT,

Als gemachtige van de grafische faculteit der Rijnlandsche Academie, en belast met het onderzoek naar de iconografie der Basserologische papieren, wens ik U deelgenoot te maken van het resultaat onzer nasporingen, teneinde den derden druk zijner Memoires of Gedenkschriften in hun oorspronkelijken luister te herstellen. Oorlogshandelingen en lotswisselingen van catastrophalen aard deden de prenten en iconografische bescheiden van den tweeden druk, vruchten van studie en nadenken, en aan de hand van onwraakbare gegevens vervaardigd, als as verstuiven in den wervelwind die zovele gedenkstukken onzer geschiedenis bij het gruis der vergetelheid geworpen heeft, – kortom, de cliché's waren weg. Het is hier dat de grafische faculteit andermaal haren weg gewezen en hare taak voor ogen zag. Andermaal hebben wij ons in het stof der archieven gewenteld, andermaal werd aan onze plichtsbetrachting de gewenste uitslag niet onthouden. Een dertigtal nieuwe prenten, grotendeels zelfs den kenners nog onbekend, danken aan deze zorgvuldige nasporingen het aanzijn. In een verslag der archivarische bewijsplaatsen, als zijnde ambtsgeheim, zullen wij, mijnheer de President, niet treden. Bijzondere erkentelijkheid verdient echter Mej. Gisela Biermann, Begunstigd Lid der Rijnlandsche Academie en correspondente der antiquarische faculteit, aan wier ijver en speurzin wij, en uwe lezers, de hoogste verplichtingen hebben. Niet alleen heeft zij enige vergeelde portretten uit de onachtzaamheid van schendige nazaten gered, maar zij slaagde er zelfs in beslag te leggen op het oorspronkelijke crinoline-costuum

dat mej. Catharina Dorre, de latere Mevr. Bas-Dorre, tijdens het tuinfeest droeg, waarvan in een der laatste hoofdstukken door Z.-Ex. gewag wordt gemaakt. Doch hiermede nog niet tevreden, is zij, blakend van genootschappelijk vuur, en door geen anderen gloed verwarmd, op een klein-genootschappelijke vergadering van onze faculteit, in dat costuum verschenen, aldus onze reconstructie tot de hoogste waarschijnlijkheid opvoerend. Bij approbatie der leden en op kosten der Academie werd zij op Cantenac en krakelingen onthaald, waarna de faculteit haar in open landauer en onder aanhef van het Rijnlandsch Jubellied naar hare woning begeleidde.
Het zijn derhalve niet zozeer onze verdiensten (die U voldoende bekend zijn) alswel hare bemoeiingen welke deze missive tot onderwerp heeft. Bovendien gingen bij onze huldebetuiging de kosten der landauer de draagkracht van onze faculteit beduidend te boven weshalve wij U verzoeken te willen antwoorden op ene kleine transactie van financiëlen aard, strekkende tot bevrediging van een individu, dat, als eigenaar der bedoelde landauer, en met een rood petje op het hoofd, herhaaldelijk op den drempel onzer ambtswoning genoegdoening komt verzoeken, aldus de waardigheid der Academie met voeten tredend en zodoende – om kort te gaan, mijnheer de President, leen ons een tientje.
Inmiddels

met genootschappelijken groet
In unitate eiusdem oppugnationis:

H. L. PRENEN
Algemeen Secretaris der Rijnl. Academie

Haarlem, 28 July 1947.